Der Weg zum eigenen Schwimmteich – Guido Seyerle

ISBN 3-86037-260-2

Agrimedia GmbH
Spithal 4
29468 Bergen/Dumme

Telefon (0 58 45) 988 1-10
Telefax (0 58 45) 988 1-11
mail@agrimedia.com
www.agrimedia.com

Titelbilder:
Guido Seyerle: oben rechts, unten links
Bionava: oben links, unten rechts
Bildquellennachweis:
Bionova: Seite 18, 24-25, 31 unten links, 43, 50, 104, 111, 112, 116
Van Beek: Seite 29, 123-126
Ralf Glenk: Seite 83-92

Lektorat: Dr. Bianca Helmcke
Gestaltung: Martina Welzel
Druck: Druckhaus Harms, Groß Oesingen

Guido Seyerle

Der Weg zum eigenen Schwimmteich

Zum Autor

Dipl.-Ing.(FH) Guido Seyerle, Jahrgang 1968. machte sich nach Lehre, Studium und diversen Auslandsaufenthalten selbstständig, zuerst mit einem Garten- und Landschaftsbauunternehmen mit eingeschlossener Planungsabteilung. Mit den Jahren kamen jedoch immer mehr Wasserprojekte als Aufträge hinzu, so dass er sich inzwischen praktisch nur noch mit diesem Thema befasst. In den zurückliegenden Jahren entstanden unter seiner Regie rund 50 größere Schwimmteiche in ganz Europa. Neben der Planung von verschiedenen Wassergärten, z.B. Schwimmteiche Stilrichtungen, Koiteiche, japanische und mediterrane Gärten usw. baut er selbst heute aktiv noch ca. 3-5 größere Schwimmteiche pro Jahr.

Die übrige Zeit arbeitet er als Autor (Bücher, Fachzeitschriften), hält Vorträge und züchtet seltene Pflanzen für mediterrane und japanische Gärten in der eigenen kleinen Baumschule. Immer wichtiger wird außerdem seine Arbeit als freier Sachverständiger BDSF für den Bereich Teichbau.

Guido Seyerle baute seinen ersten Schwimmteich eher „aus Versehen“ im Jahr 1978 zusammen mit seinem Vater und seinem Großvater. Sie wollten auf einem neu erstandenen Grundstück einen Teich anlegen, sowohl für die Natur als auch zum Baden für die Kinder.

Vorwort

Kristallklares, warmes Wasser auf samtiger Haut - das beruhigende Plätschern eines Bachlaufs - Kinder, die glücklich am Teich spielen: All diese Träume können Wirklichkeit werden!

Platz für einen Schwimmteich ist fast in jedem Garten. Früher nannte man als Mindestgröße 100 Quadratmeter, inzwischen werden auch kleinere Teiche von 20 bis 25 Quadratmetern angelegt, die im Sommer der Erfrischung dienen.

Wenn Sie Ihre Bahnen schwimmen wollen, sollte der Teich etwas größer sein. Dann bietet es sich an, als reine Schwimmfläche eine Größe von mindestens 8 x 4 m zu wählen. Zusammen mit der notwendigen Wasserreinigungsfläche kommt man auf einen Platzbedarf von rund 50 Quadratmetern. Und diese sind auch im schmalsten Reihenhausgarten vorhanden.

Den ersten privaten Schwimmteich geplant, gebaut und bekannt gemacht hat Dipl.-Ing. Werner Gamerith. Der Österreicher legte 1983 einen naturnahen Schwimmteich an, der über keinerlei Technik verfügt. Seine Regenerationszone umfasst rund Zweidrittel der gesamten Teichfläche. Die Schwimmfläche ist mit einem Betonbecken eingefasst. Das biologische System in diesem Teich, in dem

das Wasser noch nie gewechselt wurde, ist sehr stabil.
Wiederum in Österreich entstand acht Jahre später der erste öffentliche Schwimmteich. Die rund 1.000 Quadratmeter große Anlage in der Gemeinde Neußerling misst an der tiefsten Stelle im Schwimmbereich 2,40 Meter.
Schnell begann sich der Schwimmteich in den angrenzenden Ländern, vorwiegend in der Schweiz und in Deutschland, zu verbreiten. Immer mehr Gartengestalter schlossen sich Partner- und Franchising-Systemen an und ließen bis heute in ganz Europa mehrere tausend Schwimmteiche entstehen.
Neu am Schwimmteich war, dass man sich einen klaren Bergsee in seinen Garten holen konnte, bei dem die Natur die Wasserreinigung übernimmt. Weite Fahrten zum Badesee wurden überflüssig, denn Badefreuden ließen sich nun in Ruhe gleich hinter dem eigenen Haus genießen. Wie in jeder Branche, die Neuland betritt, kam es immer wieder zu Fehlentwicklungen. Dieses Buch will dazu beitragen, dass Sie von Anfang an Freude an Ihrem Schwimmteich haben und Ihre Entscheidungen unabhängig von den Versprechen der Badeteichverkäufer treffen können. Wenn Sie die Fachzeitschriften lesen, werden Sie feststellen, dass es Informationen und Versprechungen in Hülle und Fülle gibt. Manche Hersteller preisen ihre Produkte sogar mit 100-prozentiger Klarwasser-Garantie an. Die Ausführungen der Schwimmteiche und ihre Preisgestaltung unterliegen inzwischen einer solche Varianz, dass sich ein genaues Prüfen der Angebote lohnt.
Das vorliegende Buch bietet eine Einführung ins Thema sowie einen Überblick zum Stand der Technik und über die verschiedenen Anbieter. Eine praktische Entscheidungsgrundlage für alle, die sich einen Schwimmteich wünschen.

Guido Seyerle

Inhaltsverzeichnis

Pool oder Schwimmteich?

Diese Frage stellt sich, wenn Sie beschlossen haben, in Zukunft in ihrem eigenen Garten zu baden.
Damit Sie Ihre Entscheidung nicht bereuen, ist es notwendig, sich die wesentlichen Unterschiede zwischen einem Swimmingpool und einem Schwimmteich vor Augen zu führen.
Ein Swimmingpool ist ein geschlossenes Wassersystem, das durch chemische Aufbereitung in einem stabilen, aber künstlichen Gleichgewicht gehalten wird.
Ein Schwimmteich hingegen ist in der Regel ein geschlossenes Wassersystem, das ausschließlich durch physikalische und biologische Aufbereitung in einem stabilen, natürlichen Gleichgewicht gehalten wird.
Als Schwimmteichbesitzer müssen Sie über eine höhere Toleranz gegenüber unterschiedlichen Teichbewohnern verfügen. Tiere am und im Teich lassen sich nicht ausschließen und gehören auch bei stark technisierten Schwimmteichen dazu. Ebenso sollten Sie sich mit vorübergehenden Trübungen und Algenbildungen anfreunden können, die zum Selbstreinigungsprozess eines jeden Gewässers gehören.
Auch wird von Ihnen ein gewisses Maß an Geduld für die Entwicklung des biologischen Gleichgewichts in Ihrem Schwimmteich vorausgesetzt. Sowohl Naturteiche als auch Schwimmteiche brauchen zirka drei bis fünf Jahre, bis sie ihr ökologisches Gleichgewicht erreicht haben.

Zwei grundsätzliche Möglichkeiten bestehen, um das ganze Jahr über klares Wasser im Schwimmteich zu haben:

1. Sie legen eine möglichst große Vegetations- bzw. Regenerationszone an.
2. Sie setzen eine entsprechende Teichtechnik ein.

Bis vor einigen Jahren waren Schwimmteiche nur etwas für Naturfreaks und Hobbybiologen. Es gab fast ausschließlich Naturteiche mit Schwimmflächen, an die sich die Reinigungszone des Teiches anschloss. Dabei war das Verhältnis von Schwimmfläche zu Pflanzfläche mindestens 1:2. Diese Teiche dienten zum Schwimmen in der Badesaison. Eine darüber hinaus gehende Nutzung, etwa durch den Einbau einer Gegenschwimmanlage oder einer Wasserheizung, war nicht vorgesehen.
Dies hat sich stark verändert. Einen Schwimmteich zu besitzen, ist heute nicht nur schick, sondern bedeutet auch eine deutliche Verbesserung der Lebensqualität.

Gut geplant ist halb gebaut

Die wichtigsten Fragen vorab

Wer nutzt den Schwimmteich?

Je nach dem, ob außer Ihnen auch noch Tiere den Schwimmteich nutzen sollen, ist der Aufbau des Teichs und die Wahl der Pflanzen eine andere. Soll er auch Fischen als Lebensraum dienen, ist darüber hinaus mehr Technik notwendig.

Wie oft wird der Schwimmteich benutzt?

Manche Teichbesitzer baden in der Saison fast täglich, andere eher selten. Sollten Sie zu den Wasserratten gehören und großen Wert darauf legen, dass Ihr Teich stets klar und schmutzfrei ist, bedarf es eines größeren technischen Aufwands. Dient Ihr Teich mehr zur Zierde und sind keine Laubbäume oder Sträucher in seiner direkten Nähe, so vereinfacht sich die Planung.

Wie wollen Sie den Schwimmteich nutzen?

Dies hört sich zunächst komisch an. Aber ein Schwimmteich kann viel mehr, als dass Sie nur darin schwimmen. Er kann ein Platz der Erholung sein und für medizinische Übungen sowie Naturbeobachtungen genutzt werden. Im Winter lässt es sich auf ihm Schlittschuh laufen. Das ganze Jahr über bietet er Ihnen eine Fülle von Möglichkeiten.

Wann soll der Schwimmteich benutzt werden?

Wollen Sie von Anfang März bis Ende Oktober in einem 20 Grad Celsius warmen Schwimmteich baden, brauchen Sie eine integrierte Solarheizung. Rechtzeitig vor Ihrem morgendlichen Bad erwärmt die Heizung das Teichwasser. Aber auch eine geschickt angelegte Pflanzenzone kann das Wasser bei Sonneneinstrahlung zusätzlich erwärmen. Das Sonnenlicht erwärmt Ihren Naturteich; welch sinnvoller, geschlossener, ökologischer Kreislauf.

Wie können Sie den Schwimmteich kindersicher machen?

Der beste Schutz für Kinder besteht darin, sie frühzeitig mit den Gefahren eines Teichs vertraut zu machen. Aber was ist, wenn Sie einmal nicht zu Hause sind und sich grundstücksfremde Kinder von Ihrem Badebiotop angelockt fühlen? Wie man Kinder von dem Ertrinken in einem Teich schützen kann, wird in einem Extrakapitel noch einmal ausführlich behandelt.

Fische im Teich?

Eine Frage, die drei mögliche Antworten hat: JA, NEIN und SPÄTER.

Wenn Sie sich heute gegen Fische in Ihrem Schwimmteich entscheiden, so ist dies nachvollziehbar. Nur die Erfahrung lehrt, dass fast alle Schwimmteichbesitzer früher oder später Fische in ihren Teichen haben.

Zum einen liegt das an der Schönheit und Eleganz von Fischen. Wer kennt nicht die

farbigen, prachtvollen japanischen Karpfen, die einem aus der Hand fressen? Zum anderen passiert es ungewollt. Vögel haben oft Laich an ihren Füßen und im Gefieder. Gerne setzen auch Nachbarn ungefragt Zierfische aus einer Aquariumauflösung in andere Teiche aus. Wenn sich die Fische erst einmal in ihrem Teich angesiedelt haben, werden Sie diese schwer wieder herausbekommen.
Falls Sie sich von Anfang an für Fische entscheiden, sollten Sie sich von Schwimmteichbauer beraten lassen, die im Thema stehen. Firmen die auch Koiteiche bauen, können meist auch Schwimmteiche mit Fischbesatz anlegen.
Und wenn Sie daran denken, erst in ein paar Jahren Fische in Ihren Schwimmteich einzusetzen, ist dies auch machbar. Eine entsprechend vorbereitete Technik, ein verändertes Substrat und eine andere Strömung lassen in Ihrem Schwimmteich mit Fischbesatz bald wieder ein stabiles ökologisches System entstehen.

So könnte Ihr Teich aussehen

Damit Ihnen die Entscheidung für einen bestimmten Teich leichter fällt, sollen im Folgenden verschiedene grundsätzliche Varianten vorgestellt werden. Und vielleicht wollen Sie auch nur bestimmte Teile in Ihren zukünftigen Schwimmteich integrieren.

Koiteich

Bei diesem Teichtyp stehen die Anzucht und das Leben mit farbigen, japanischen Karpfen im Vordergrund. Das artgerechte Halten der Kois erfordert einen höheren Technik- und Reinigungsaufwand, als er in einem Schwimmteich üblich ist.
Prüfen Sie vorab, ob Sie eher Fische halten möchten oder ob Ihnen das persönliche Erleben des Themas Wasser wichtiger ist. Denn eine intensive Haltung von Fischen und regelmäßiges Baden schließen sich aus.

Medizinischer Teich

Schwimmteichbesitzer, die über körperliche Beschwerden klagen, können Erleichterung in einem auf ihr spezielles Problem maßgeschneiderten Schwimmteich erfahren. Bei Rückenproblemen bietet es sich beispielsweise an, eine längere gerade Schwimmstrecke anzulegen, die sich bis in den Herbst nutzen lässt, wenn zusätzlich eine einfache Wasserheizung installiert wurde. Ebenfalls denkbar ist der Einbau einer Gegenstromanlage. Die Aus- und Einstiegsbereiche sollten ein bequemes Begehen und Verlassen des Teichs ermöglichen.
Für Bänder- und Meniskus-Geschädigte kann an einigen Stellen des Teichrands ein in Mörtel verlegtes Natursteinpflaster in verschiedenen Querneigungen angelegt werden. Dies fördert die Dehnung und Streckung des Bein- und Fußapparats. Natürliche Gymnastik ...

Indoor-Teich

Bei reinen Indoor-Teichen müssen das Substrat, die Strömung und die Bepflanzung speziell auf den Teich abgestimmt werden. Oft ist es notwendig, zusätzlich eine künstliche Beleuchtung für die Pflanzen in der Indoor-

Regenerationszone zu installieren. Da die Glasscheiben ein bestimmtes Spektrum des Lichts herausfiltern, das durch künstliches Licht ergänzt werden muss.

Gegen die Wärmebildung unter den Scheiben hilft eine ausgeklügelte Ablufttechnik, die eventuell gleich für eine Wärmepumpe genutzt werden kann. Mit der Pumpe lässt sich das Wasser gezielt aufheizen.

Kombinierte Indoor-Outdoor-Teiche sind über eine Schleuse miteinander verbunden. In der Schleuse und in der Regenerationszone des Außenbereichs, in der auch die Wasserreinigung stattfindet, wird das mit unterschiedlichen Temperaturen und pH-Wert versehene Wasser wieder ausgeglichen.

Tropischer Teich

Für tropische Teiche gilt dasselbe wie für Indoor-Teiche, nur dass die Wassertemperatur hier in der Regel noch höher ist.

Viele Substrathersteller empfehlen einen verstärkten Einsatz von Zeolithen, die einen Teil der im Wasser gelösten Nährstoffe an sich binden. Die Forschung in diesem Bereich ist relativ jung, sodass noch keine endgültige Empfehlung für die Wasserklärung gegeben werden kann. Die Erfahrungen mit einem in 2003/2004 von der Firma Bionova gebauten Indoor-Teich zeigen, dass Wassertemperaturen über 30 Grad Celsius auch über einen längeren Zeitraum möglich sind.

Wellness-Teich

Durch den Einbau von Massagedüsen, einer Gegenstromanlage und Sprudelquellen im Schwimmteich kann man über das reine Schwimmen hinaus die Gesundheit fördern.

In einem naturnah gestalteten Teich wirken diese technischen Einrichtungen fremdartig. Wählen Sie deshalb bitte ein geometrisches Becken, bei dem eine Seite für den Wellness-Bereich reserviert ist.

Planen Sie diese Zusatzeinrichtungen von Anfang an ein, denn sie erfordern mehr Leitungen und höhere Pumpenleistungen. Auch ändert sich die Strömung im Teich.

Orientalischer Teich

Das Flair Vorderasiens: Geflieste kleinteilige Bereiche wechseln sich ab mit Trinkbrunnen, einzelnen winterharten Palmen und Bananen.

Hier gilt einer der Grundsatzgedanken des japanischen Gartens: Schaffen Sie vorab einen Extra-Gartenraum, damit die Elemente, in einem ansonsten natürlich gestalteten Garten, nicht aufgesetzt wirken. Gelingt es Ihnen, kann er als wunderbarer Ferienersatz dienen.

Schweizer Teich

Sie schwimmen durch Ihren Teich, dann kreuzen Sie einen Wasserfall, der aus einem hohen Felsen herunterstürzt und Ihnen den Nacken massiert. Sie steigen über eine bequeme Steintreppe aus dem Teich und gönnen sich ein wärmendes Bad in 20 Zentimeter tiefem Wasser. Die Steinbank, auf der Sie unter Wasser liegen, hat sich wunderbar in der Sonne aufgewärmt.

Um eine erhöhte Algenbildung in flachen, sich stark erwärmenden Wasserbereichen zu

Auch Tiere müssen die Möglichkeit für einen sicheren Ausstieg haben.

verhindern, müssen sie intensiver und gleichmäßiger durchströmt werden als kältere Bereiche.

Sicherheit geht vor

Technische Sicherheit

Auch wenn im Moment die gesetzlichen Vorgaben erst noch ausgearbeitet werden müssen, macht es Sinn, sich bereits heute im Kern daran zu halten. Das betrifft vor allem die Bereiche Wasserqualität und Elektronik. »Private Schwimmteiche« soll das Regelwerk der Forschungsanstalt für Landschaftsplanung und Landschaftsbau (FLL) heißen, dessen Herausgabe für Ende 2005 geplant ist. Die Richtlinien der FLL gelten, ähnlich wie DIN-Normen, nach ihrem Erscheinen als verbindlich.

Die Rohrleitungen müssen so verlegt werden, dass sich keine Schmutzstoffe dauerhaft ablagern können, die gesundheitliche Probleme verursachen. Pumpen und zusätzliche Filter sind entsprechend den Herstellervorgaben zu warten. Das betrifft sowohl die Rückspülintervalle als auch die Spüllänge. Denn schlecht gewartete Sandfilter schaden der Teichbiologie mehr, als sie Vorteile bringen. Das Kapitel »Die technische Versorgung« behandelt die Vorgaben zum Thema Elektronik ausführlich. Es erspart aber keineswegs den Fachmann mit entsprechender Zulassung vom Elektrohandwerk.

Bitte sehen Sie von Tauchpumpen ab, wenn sie dauerhaft im Schwimmbereich oder der Regenerationszone liegen sollen. Hier gibt es inzwischen bedeutend bessere Pumpen wie die der Firma Meßner-Pumpen, die zudem über eine zertifizierte Zulassung für Schwimmteiche verfügen.

Statische Sicherheit

Ein Schwimmteich von 100.000 Litern erfordert einen Aushub von 250 bis 300 Tonnen Erde. Mit den Aushubarbeiten für eine Teich-

grube greifen Sie erheblich in das Bodengefüge ein. Bitte beachten Sie dabei vor allem die DIN 18300 ff.
Das angrenzende Erdreich drückt in die Grube und lässt sie, je nach Bodenstabilität, teilweise wieder zufallen. Eindringendes Wasser von der Seite sorgt für eine zusätzliche Instabilität der Wände.
Falls eine Seite der Teichgrube parallel zur Höhenlinie eines Hanggartens liegt, ist die Gefahr eines Erdrutsches schnell gegeben. Sollte der Hang zu rutschen anfangen, versuchen Sie nicht, ihn per Handschaufel aufzuhalten. Gegen das mehrere Hundert Tonnen schwere Gewicht sind sie machtlos und bringen sich nur in Gefahr.
Fragen Sie vorab einen Fachmann, der bei zweifelhaftem Bodengefüge, einen Statiker oder Geologen zurate ziehen wird. Dies ist in der Regel kostengünstiger, als später Änderungs- und Sanierungsarbeiten durchzuführen.

Sicherheit für Nichtschwimmer

Viele Menschen, auch Erwachsene, sind Nichtschwimmer! Wird, wie beispielsweise in Italien, in der Schule kein Schwimmunterricht erteilt, ist der Prozentsatz an Nichtschwimmern in der Bevölkerung vergleichsweise groß. Aber auch in Deutschland, wo die meisten Kinder ab dem Schuleintritt schwimmen lernen, kommt es gerade im diesem Alter immer wieder zu schweren Badeunfällen. Berücksichtigen Sie bereits in der Planungsphase Sicherheitsmaßnahmen für Nichtschwimmer. Legen Sie spezielle Bereiche für Kinder an, die vom Haus oder der Terrasse aus gut einsehbar sind. Diese Bereiche sollten so konzipiert sein, dass Kinder nicht versehentlich in die Schwimmzone gelangen können. Aufgrund des feinen Algenbelags werden Teichfolien so rutschig, dass Kinder und Erwachsene, selbst bei ebenem Gelände, schnell ausrutschen können. Das Kinderbecken sollte deshalb stark gegen den Schwimmbereich abgegrenzt sein. Das ist mit rundlichen Felsen möglich, die zudem auch eine deutliche Sichtgrenze zum Schwimmbereich bieten, aber auch durch Höhenunterschiede. Im Kinderbecken selbst bietet es sich an, feinen Kies auszulegen. Sand ist nicht geeignet, auch wenn er prima zum Spielen wäre. Er würde sich in das Teichwasser schlämmen und das Substrat sowie die Pumpenanlage verstopfen.
Denken Sie auch daran, die technische Ausstattung Ihres Teichs außerhalb des Kinderbeckens zu platzieren. Kinder neigen dazu, verlegte Rohre auszugraben oder zu verstopfen. Als Schutz für die unter dem Kinderbecken hindurchlaufenden Rohre sollten Sie zusätzlich ein dickes Vlies auf die Folie legen, bevor Sie Kies und Steine aufbringen. Wenn Sie dann einige größere Steine direkt auf das Vlies betonieren oder aufkleben, ist der Schutz nochmals höher.
Ein zusätzlicher Einströmer direkt neben der flachen Kinderzone bewirkt ein schnelleres Einbringen des verschmutzten Wassers in den Reinigungskreislauf.
Lassen Sie Kinder niemals ohne Aufsicht baden, auch wenn sie bereits schwimmen kön-

Als Abgrenzung vom Kinderbecken zum Schwimmbereich können große Natursteinfelsen oder Stege dienen.

nen. Kinder sind in ihrem Spiel sehr kreativ und damit auch gefährdet. Am besten installieren Sie zur Sicherheit mindestens einen der nachfolgenden Kontrollmechanismen.

Elektronischer Warnmelder

Dieser funktioniert wie der Bewegungsmelder für Ihr Eingangslicht. So bald der Warnmelder eine Bewegung im Bereich des Teichs feststellt, ertönt ein akustisches Signal, bei Wunsch auch nur im Haus oder auf Ihrem Handy. Leider ist er nicht in der Lage zwischen Kindern und Tieren zu unterscheiden.

Wasserspeier

Demselben Prinzip folgt der Wasserspeier. Der Warnmelder spritzt alles nass, das sich durch Bewegung zu erkennen gibt. Die Wurfweite des Speiers ist entsprechend der Größe des Teichs einstellbar. Auch lassen sich mehrere Speier miteinander kombinieren.

Falls Sie vergessen haben sollten, den Speier abzustellen bevor Ihr Besuch an den Teich kommt, werden Sie alle abgeduscht. In heißen Sommern durchaus ein Vergnügen ...

Netz oder Gitter

Ein dickes Netz direkt über dem Wasserspiegel oder ein unmittelbar unter der Wasseroberfläche eingelegtes Gitter werden seltener als Schutz vor dem Ertrinken verwendet. Zum einen, weil kleine Kinder auch in Pfützen ertrinken können und zum anderen, weil er optisch störend wirkt und zum Baden zur Seite geschafft werden muss.

Zaun

Mit die sicherste Methode, dass nur diejenigen an den Teich kommen, die dort auch hingehören, ist, einen Zaun zu ziehen. Direkt am Teich wirkt dieser oft hässlich. Geschickt in einer Hecke oder einer Bepflanzung versteckt und in gewisser Entfernung zum Teich kann er jedoch gut in die Gartengestaltung integriert werden. Achten Sie bei Zauntor und Zaun darauf, dass ein Überklettern für kleine Kinderfüße nicht möglich ist. Auch sollten sich die Türen automatisch zuziehen und mit einem Schnappschloss ausgestattet sein. Das verhindert ein unkontrolliertes Eindringen der Kinder, falls die Tore einmal nicht sorgfältig verschlossen wurden.

Was tun bei hohem Grundwasserspiegel?

Im ersten Moment könnte man meinen, dass ein hoher Grundwasserspiegel bedeutet, es reiche aus, eine Teichgrube auszuheben und das Wasser würde dann schon von alleine hineinlaufen. Dies ist allerdings nicht so. Sie würden ein Loch mit braunem Wasser erhalten, da vom Rand immer wieder Feinteile in das Wasser geschwemmt werden. Auch würde die Wasserhöhe des Teichs ständig variieren. In trockenen Jahren könnte man nicht schwimmen, während der Teich nach Regenfällen wahrscheinlich vollständig gefüllt wäre.

Für einen hohen Grundwasserspiegel verantwortlich sind undurchlässige Bodenschichten oder in der Nähe befindliche Gewässer. Während der Bauphase muss das Grundwasser im Bereich des Schwimmteichs abgesenkt werden. Nach dem Ende der Teicharbeiten wird die Apparatur für die Grundwasserabsenkung abgebaut und das Grundwasser hebt sich wieder an.

Bitte achten Sie darauf, den Schwimmteich als Erstes vollständig mit Wasser aufzufüllen. Sollten Sie dies vergessen, wird die ganze Teichhaut, egal ob Folie oder Glasfaser, vom ansteigenden Grundwasser nach oben gedrückt. Auch sehr stabile Teiche können dem Druck nicht standhalten und zerbersten. Ähnliches gilt für den umgekehrten Fall: Lassen Sie das Wasser zwecks Pflegemaßnahmen im Teich nie ganz ab.

Grundwasserabsenkungen sind in vielen Bundesländern genehmigungspflichtig. Am besten Sie erfragen die für Sie geltende Gesetzeslage bei der örtlichen Baubehörde und verpflichten dann eine Firma die auf Grundwasserabsenkung spezialisiert ist.

Hinweise auf hohes Grundwasser

- Ein natürlicher See oder Bach liegt in unmittelbarer Nähe Ihres Grundstücks.
- Praktisch alle Wohnhäuser, vor allem die älteren, in Ihrem Baugebiet sind ohne Keller gebaut worden.
- Der natürlich gewachsene Boden Ihres Grundstücks ist das ganze Jahr über äußerst weich und fühlt sich an wie ein Schwamm.
- In dem 1 x 1 x 1,50 m großen Loch, das Sie zur Probe ausgebaggert haben, steht Wasser.

Gesteigertes Umwelt- und Kostenbewußtsein führen zu einem regen Interesse an naturnahen Badegewässern.

Gestalten Sie Ihr Paradies

Auch bei der Gestaltung der Regenerationszone wird auf die Blütenfarben geachtet

Sie haben die planerischen Grundlagen für den Schwimmteich gelegt und die Ansprüche für Ihr späteres Wasserparadies definiert. Jetzt geht es an die Gestaltung, die Ihrem Schwimmteich sein unverwechselbares Gesicht geben wird. Um dies zu reichen, steht Ihnen eine Vielzahl an Stilrichtungen zur Verfügung. Neben dem von vielen Bildern bekannten Naturbad sind auch japanische, mediterrane und architektonische Badebiotope denkbar.

Formen, Farben und Strukturen

Beschränken Sie sich

Zunächst sollten Sie sich überlegen, ob Sie ganz bewusst einen gestalterischen Gegenpol zur Umgebung setzen möchten. Oder ob Sie einen Schwimmteich planen, der sich harmonisch einfügt. Beide Ansätze haben ihren Reiz. Wenn Sie sich für einen Ansatz entschieden haben, sollten Sie diesen unbedingt bis zum Schluss durchhalten.

Gestalterisch schwierig sind rein geometrische Formen und moderne Anlagen, die dann doch in einem Bereich auf die organische Form zurückfallen. Das wirkt so, als ob der Planer seiner Sache im letzten Moment unsicher wurde und versucht hat einen Kompromiss einzugehen.

Ähnliches gilt für den Bodenbelag, die Bepflanzung, den Teichrand und das Beleuchtungskonzept. Was Letzteres angeht, lassen sich sehr schön geometrische Achsen und Bezugslinien schaffen. Wenn aber eine Lampe, egal ob über dem Wasser oder darunter, nicht richtig platziert ist, schwächt dies den gestalterischen Aspekt.

Auch die Farbe hat einen wichtigen Einfluss. Erdtöne in allen Schattierungen strahlen Wärme und Geborgenheit aus. Schwarz und Weiß dagegen vermitteln Kühle und Strenge, Blau erinnert an Tiefe und Unendlichkeit.

Viele zukünftige Schwimmteichbesitzer machen den Fehler, sich nicht auf eine überschaubare Zahl von Strukturen und Farben zu beschränken. So wirkt die große Vielfalt oft wie ein buntes Durcheinander. In der Beschränkung aber liegt die Kunst. Wählen Sie

zwei, maximal drei Farben und Strukturen aus, die miteinander harmonieren und suchen Sie dann in Ruhe die entsprechenden Materialien dafür aus.
Kombinieren Sie einen grauen Granit, blaue Blüten und viel Pflanzengrün, ergibt sich ein kühler, eher ruhiger Garten. Während ein Terrakotta-Belag, gelber Granit und rotgelbe Blüten- und Blattfarben einen mediterranen, warmen Garten entstehen lassen.

Der Einfluss der Farbe auf die Form

Sie haben es sicherlich selbst schon erlebt: Sie sehen ein rotes Auto und finden es schön. Sehen Sie dieses Auto ein paar Tage später in einer anderen Farbe, beispielsweise in Schwarz, weckt es ganz andere Gefühle in Ihnen. Wenn Sie dies erklären wollen, gelingt es Ihnen wahrscheinlich nicht. Zumal Sie sich an andere Autos erinnern, die Ihnen in Schwarz viel besser gefallen haben als in Rot.

Die Anzahl der Flächen und ihre Verteilung

Jeder Gegenstand besitzt verschiedenartige Flächen mit teilweise gleichem Charakter. Bleiben wir beim Beispiel Auto. Die Kotflügel können normal oder überhöht gewölbt sein. Ihre Verteilung ist regelmäßig. Der Betrachter weiß, dass er üblicherweise vier Kotflügel sehen kann. Sind diese in gewohnter Form und in Wagenfarbe lackiert, fallen sie wenig auf. Sind die Kotflügel aber in einer anderen Farbe lackiert, werden sie betont.
Hat das Fahrzeug eine Fläche, die es bei anderen Fahrzeugen nicht gibt, wie beispielsweise einen Spoiler, ist die Farbe der Sonderfläche zweitrangig. Der Spoiler wird aufgrund seiner Form wahrgenommen. Die Farbe wird die Wahrnehmung nur verstärken.
Auch die Gartengestaltung macht sich diesen Effekt zunutze. Ein gutes Beispiel sind die französischen, geometrischen Gärten. Jeder erwartet hier gleichmäßige, dunkelgrüne Muster in Buchsbaum oder niedriger Eibe. Wenn diese in niedrigen roten Berberitzen ausgeführt werden würden, dann wäre das Auge aufgrund des sehr ungewohnten Effekts verwirrt. Die ruhige Struktur des Grüntons fehlte ihm. Die Farbe Rot würde der Betrachter als modern und vielleicht auch als unpassend empfinden. Er ist gewohnt, dass Rot nur eine geringe Verteilung in einem Buchsbaummuster hat und zwar als Farbtupfer.

Die Struktur der Oberfläche

Polierte, glatte Oberflächen wirken anders als raue, unebene Oberflächen. Eine Farbe kann eine Oberfläche auch in den Hintergrund drängen. Dann wirkt die Struktur der Oberfläche erst bei genauem Hinsehen.
Als Beispiel seinen die Metalliclacke genannt. Hier fällt einem zuerst die Farbe ins Auge, dann die Form. Dass die Farbe bei unterschiedlichem Lichteinfall jeweils einen anderen Farbton annimmt, erkennen Sie erst, wenn Sie auch die Struktur der Oberfläche bemerkt haben.
Grauer Granit in der Teich- und Gartengestaltung wirkt kühl und edel. Wenn Sie nä-

her an die gesetzten Felsen kommen, werden Sie feststellen, dass deren Oberfläche rau und uneben ist. Finden Sie materialbedingt rostfarbende Eisenausblühungen, verliert der Stein für Sie vielleicht sogar ganz seinen edlen Reiz.

Die Lichtreflexion

Die Aufnahme einfallenden Lichts und seine Rücksendung verändern die Struktur von Oberflächen und damit ihre Form.
Schatten- und Lichtbildung verstärken das Raumgefühl. Eine gefalzte Kante im Türblech leitet die Lichtwellen oberhalb und unterhalb des Knicks ab. In sehr dunklen und extrem hellen Farbtönen ist dieser Knick schwer zu erkennen, vor allem bei schwachem Lichteinfall. Die Farbe Rot hingegen macht ihn gut sichtbar.
Denselben Effekt erhalten Sie in abgestuften Wassergärten.

Die Krümmung der Fläche

Farben können Krümmungen verstärken oder abschwächen. Dies liegt an der unterschiedlichen Reflexion und Absorption von Farbtönen. Besonders gut zur Geltung kommen Krümmungen in Metallicfarbtönen, Gelb und Silber.
Gelingt es Ihnen, gekrümmte Flächen, leicht mit Wasser benetzt, in Ihren Teich zu integrieren, verstärkt sich dieser Effekt noch. Ein perfekter Blickfang ...

Die Verteilung der Farben

Eine unregelmäßige Verteilung der Farben wirkt unruhig und ungünstig auf die Form.
Versieht man ein unscheinbares, konservativ gestaltetes Auto mit einer kleinteiligen Farbgliederung, so wird das Auge schnell überfordert. Auch wenn die Karosserie des Fahrzeugs gut strukturiert ist, wirkt es durch die Farbvielfalt strukturlos.
Im Garten kann dieser Effekt gewünscht sein. Wenn man ein ruhiges Gelände lebhafter gestalten möchte, ohne die Struktur des Geländes wesentlich zu verändern.
Wie lang dieser Effekt wirkt, bis der Betrachter erkennt, dass nur die Farben die Struktur ausmachen, sei dahin gestellt. Vielleicht ist es sogar beabsichtigt, dass nach dem Moment der Lebendigkeit wieder Ruhe und Gelassenheit auf den Betrachter wirken.

Die Anordnung der Farben

Treffen Farben ohne Übergang aufeinander, wirkt dies anders, als wenn Farbverläufe oder verwandte Farben angrenzen.
Wenn die Karosserie eines Autos bis auf die schwarzen Kotflügel weiß ist, wird die Struktur der Oberflächen optisch verstärkt. Die Kotflügel wirken dann ausgestellt und maskulin. Würde ein Farbverlauf von Weiß über Hellgrau, Dunkelgrau zu Schwarz gewählt, wäre das Ergebnis lange nicht so spektakulär.
Beim Teichbau kann dieser Effekt durch entsprechende Farbauswahl bei der Bepflanzung im und am Teich erzielt werden.

Fließende Übergänge

Gleiche Farben ineinander überlaufen zu las-

sen, macht nur Sinn, wenn die Struktur der Elemente ebenfalls gleich ist.
Ein dunkelgrünes Auto mit einem gleichfarbigen Verdeck wird nie einfarbig wirken, da die grobe, offenporige Struktur des Stoffverdecks deutlich anders ist als die des Autolacks. Lediglich bei Regen werden sich die Farben von Karosserie und Verdeck angleichen.
Für den Gartenbereich bedeutet das: Sollen gleiche Farben in einander übergehen, so muss auch die Struktur der verwendeten Materialien aufeinander abgestimmt sein. Bodenbeläge aus grauem Granit gibt es poliert, gestrahlt und gestockt. Polierter Granit spiegelt bereits bei geringer Luftfeuchte die Umgebung, die anderen Oberflächenbearbeitungen aber nicht. Hier gibt die Struktur die Wirkung vor, nicht das Material.

Was ist Ihr Stil?

Sie werden staunen, wie viele Möglichkeiten es gibt, Ihren ganz persönlichen Gartentraum in Erfüllung gehen zu lassen. Weil Träume individuell sind, können im Nachfolgenden nur grundsätzliche Gestaltungstipps gegeben werden.

Grundsätzliche Tipps

Beginnen Sie zunächst Ideen und Bilder zu sammeln. Erst wenn Sie einen gewissen Überblick und ein Gefühl für Ihre persönliche Gartensituation haben, sollten Sie den Schwimmteich in Ihrer Gedankenwelt entstehen lassen.
Am besten Sie schneiden Fotos und Berichte aus Fachzeitschriften aus, surfen im Internet und lassen sich Fotos von Anbietern emailen oder schicken. Wenn Sie mit Anbietern Kontakt aufnehmen, dann sollten Sie bereits Ihr finanzielles Budget grob definiert haben. Manche extravagante Ideen lassen sich nur mit einem höheren finanziellen Aufwand realisieren.
Sollten Sie zu der Überzeugung kommen, dass Sie eine andere Stilrichtung als die der

Umgebung möchten, müssen Sie als Erstes ein neues Raumgefühl schaffen.

Grenzen Sie den für den Schwimmteich vorgesehenen Gartenbereich ab. Das muss nicht bedeuteten, dass Sie eine Mauer oder eine Hecke setzen. Wichtig ist, dass Sie beruhigende Sichtachsen an Ihrem Teich einplanen. Schlecht wäre, wenn Sie von Ihrer Terrasse am Schwimmteich eine perfekt gestaltete japanische Landschaft mit Steinformation und Bonsai sehen könnten, sich im Hintergrund des neuen Schwimmteichs aber der Bauerngarten Ihres Nachbarn ins Blickfeld schieben würde.

Extraräume lassen sich, auch in schmalen und kleinen Gärten, am besten mit säulenförmigen Pflanzen schaffen. Legen Sie aber keine Reihe in gerader Flucht an, sondern

Holzterrasse an japanischem Schwimmteich

▷ Tipp

Gegen neugierige Blicke von außen schützt eine frei wachsende Bambushecke, die Sie mit einer Rhizomsperre versehen sollten, damit nicht überall im Garten neuer Bambus wächst. Bei leichtem Wind wird sie sich sanft bewegen und ein Säuseln erzeugen. Dieses Säuseln nutzt die fernöstliche Gartenkultur als wichtiges Gestaltungsmittel. Es fördert die Meditation.

unterbrechen Sie diese immer wieder durch Ausbuchtungen. Oder verwenden Sie als Auflockerung Pflanzen von etwas anderer Gestalt.

Eine lange, dunkelgrüne Eibenhecke wirkt zum Beispiel, wenn sie mehrfach von einer leicht gelblaubigen Pflanze unterbrochen wird, beruhigend ohne zu langweilen. Oder lockern Sie Ihre Hecke durch mehrere Sichtschutzelemente aus Bambus auf. Inzwischen gibt es fertige Elemente, die viele Jahre überdauern, wenn sie wenige Zentimeter über dem Erdboden befestigt werden. Da so ein Eindringen der Bodenfeuchtigkeit in die untersten Bambusrohre verhindert wird.

Ein bewährtes Gestaltungselement des Gartenbaus ist, sich einige feste Blickpunkte zu schaffen. Schon mittelalterliche Parks wurden mit Blickachsen strukturiert, an deren Ende große Statuen, Wasserspiele oder exotische Pflanzen standen.

Auch wenn Sie keinen großen Park zu gestalten haben, solche Elemente bringen Pfiff in Ihren Garten. Platzieren Sie zur Probe einen

Das feine Säuseln des Bambuswäldchens fördert die Meditation.

Blickfang an der Stelle, wo Ihr Teich entstehen soll. Und zwar nicht genau auf der Mittelachse, sondern leicht versetzt, das schafft Spannung. Wie unterschiedlich Objekte an verschiedenen Plätzen wirken, können sie leicht selbst ausprobieren.

Japanische Gestaltung

Ausgleich zu sein zu einem arbeitsreichen, stressigen Tag ist das Hauptanliegen dieser Stilrichtung. Dabei sind Entspannung und Meditation oft auch auf ganz kleinem Gartenraum möglich.

Faszinierend ist, wie viele, meist kleinteilige, Besonderheiten auf einem Rundgang im japa-

Natürlich gestalteter Uferbereich mit durchströmter Vegetationszone

nischen Garten mit Schwimmteich anzutreffen sind. Hier ist eine kleine Kiesfläche mit wenigen Pflanzen. Dort steht ein rund zwei bis drei Meter hoher, in Form geschnittener Naturbonsai, dessen Äste wie Wolkenformationen aussehen. Nur ein paar Meter weiter ist der Einstieg in Ihren Schwimmteich. Über grob behauene Granitstufen geht es ins Wasser, wo sich in zirka 30 cm-Wassertiefe eine Liegefläche auftut. Sie lädt ein, sich ins warme Wasser zu legen und eine Tasse Tee zu genießen. Gleich nebenan ragt ein großer Granitfels aus dem Wasser, auf dem Sie Ihre leere Tasse abstellen können. Darüber hinaus ist dieser Felsen gut eignet, die Füße ins Wasser baumeln zu lassen.

Die Pflanzen sind ruhig und überlegt angeordnet. Sollten Sie üppig blühende Stauden- und Rosenrabatten lieben, ist diese Stilrichtung nichts für Sie. Hier wechseln sich moderate Grüntöne mit einzelnen Blühpflanzen oder buntblättrigen Pflanzen ab. Manche Gehölze werden wegen ihrer Herbstfärbung gepflanzt, manche Bäume aufgrund der Wirkung ihrer

Ein Schwimmteich schafft den Ausgleich zu einem anstrengenden Tag.

Spiegelung: Wo endet der Teichrand und wo beginnt das Wasser?

Rinde im Winter. Während der übrigen Jahreszeiten sind sie unscheinbar und bilden das Gerüst des Gartens, um dann für kurze Zeit zum Highlight zu werden.

Bei der japanischen Stilrichtung wird auch die Wasserspiegelung bewusst eingesetzt. Die Kunst besteht darin, Ihren Garten optisch größer wirken zu lassen. Dies gelingt, wenn der Schwimmteich im richtigen Abstand zu Ihrem Haus gebaut wird. Mehrfach-Spiegelungen Ihres Hauses sind möglichst zu vermeiden. Nur in einem Teil des Wassers darf sich die Schönheit des Hauses spiegeln. Ein paar Meter weiter, dort wo der Teich von niedrigen Gewächsen eingefasst ist, spiegeln sich nur noch die Wolken und das unendliche Blau des Himmels.

▷ Tipp

In einer bewußt eingesetzten Wasserspiegelung dürfen Sie keinen Skimmer platzieren. Die entstehende Strömung würde die Spieglung nur stören. Und gehen Sie mit fernöstlichen Gottheiten und japanischen Lampen bitte sparsam um. Hier ist weniger oft mehr.

Ein japanisches Teehaus spiegelt sich im Schwimmteich.

Bewusst eingesetzte Wasserspiegelungen lassen den Garten größer erscheinen.

Mediterrane Gestaltung

Diese Stilrichtung umfasst eine Gartenkultur, die Europa seit dem Mittelalter dominiert hat. Auch wenn die Franzosen behaupten, es wären die Italiener gewesen, die ihre Gartenkultur kopiert hätten und nicht anders herum, machen historische Untersuchungen deutlich, dass die hohe Schule der europäischen Gartenkultur ihre Wiege in Italien hat.

Begeben Sie sich auf eine italienische Gartenreise und Sie werden die Bekanntschaft mit Wasserachsen, historischen Schlossinnenhöfen, Wasserspielen und Wassergrotten machen. Oder Sie holen sich diesen Traum in Ihren eigenen Garten.

Die Beckenform Ihres Schwimmteichs sollte geometrisch sein. Das erfordert eine entsprechende Anpassung der Teichtechnik, um die notwendige Strömung zu erzeugen. Oder Sie trennen, wie beispielsweise bei der Zweikammerbauweise üblich, den Schwimmbereich von der Regenerationszone räumlich ab. Dann steht einer der Teiche zum Schwimmen und der andere als Reinigungszone zur Verfügung. Der Reinigungsteich ist unterirdisch über Leitungen mit dem Schwimmteich

Dolce Vita: Die mediterrane Stilrichtung zaubert südländische Lebensart in den Garten.

verbunden. Auf seiner Oberfläche könnten im Sommer Seerosen blühen.

Schaffen Sie ruhige, gerade oder rechtwinklige Blickachsen. Am Ende Ihres Schwimmteichs würde sich beispielsweise eine Putte des Gottes Apollo gut machen, aus der Wasser in den Teich strömt.

Andere Details wie ein Gartenweg aus rotem Klinker, an dessen Seiten kegelförmig getrimmte Buchsbäume stehen, verstärken den mediterranen Touch. Ein lauer Sommerabend lädt zum Verweilen auf Ihrer Schwimmteichterrasse ein. Über Ihnen ranken Weinreben und duftender Blauregen. Sie trinken einen herrlich leichten, italienischen Rotwein und beschließen nie mehr in den Urlaub zu fahren...

Natürliche Gestaltung

Es gibt wunderbar natürlich gestaltete Schwimmteiche. Am Rand wiegen sich Binsen, Schilf und Gräser leicht im Wind. Daneben wächst Sumpfiris in vielen Farben, die in den Abendstunden herrlich duftet.

In der Übergangszone vom Land zum Wasser stehen gelbes Pfennigkraut, blaues Sumpfvergissmeinnicht und weißer Fieberklee. Kiese verschiedener Körnung wechseln sich ab mit kleineren und größeren Felsen, die meist rundlich geschliffen sind, gerade so, wie sie in Gebirgsbächen vorkommen.

Zu natürlich gestalteten Schwimmteichen passen auch gut einheimische Holzarten. Am besten Sie verwenden unbehandeltes Kiefern-, Lärchen- oder Zedernholz, damit sich die Holzimprägnierung nicht in Ihrem Teichwasser wiederfindet. Mit der Zeit werden diese Hölzer ausbleichen und vergrauen. Dies ist ein ganz natürlicher Vorgang und Sie wollen ja einen natürlichen Teich bauen. Eher als bei anderen Teicharten werden sich hier Frösche, Kröten und Libellen ansiedeln. Wollen

Ein natürlich anmutender Bachlauf lässt sich gut mit einer architektonisch gestalteten Stützmauer kombinieren.

▷ Tipp

Achten Sie darauf Steine zu verwenden, die den pH-Wert Ihres Teichwassers nicht einseitig beeinflussen.
Von dem am häufigsten verwandten Natursteinmaterial sollten Sie eine pH-Wert-Messung machen, um seine Wirkung auf das Wasser abschätzen zu können. Dafür nehmen Sie einen Eimer mit Wasser und legen die Natursteine in kleinen Brocken hinein. Dann reiben Sie diese aneinander. Anhand der Veränderung des pH-Wertes können Sie feststellen, wie stark das Material das Wasser beeinflusst hat. Ein preiswertes und einfaches Verfahren, das viel Geld sparen kann. Denn, wenn sich der pH-Wert im Laufe der Jahre zu stark in die eine oder andere Richtung verändert, kann es notwendig sein, die Steine im Teich auszuwechseln. Oder die Technik muss entsprechend geändert werden. Sorgsam zu verwenden sind stark eisenhaltige Gesteine. Sie erkennen diese am »Rost«, der sich auf feucht gewordenen Steinen bildet.

Ein grosser Schwimmteich in einer zum Gartenpark gehörenden Schlucht.

Sie das nicht, so ist ein Schwimmteich nach der Zweikammerbauweise die bessere Wahl. Die Schwimmzone gehört Ihnen und die Regenerationszone mit all den Pflanzen und Substraten ist für die Natur. Dort werden sich Teichrandbewohner so richtig wohl fühlen. Vielleicht siedelt sich auch eine Ringelnatter an. Haben Sie keine Angst, sondern freuen Sie sich lieber, dass diese scheuen und seltenen Tiere bei Ihnen zu Gast sind. Sollten Sie planen, auch Hunde in Ihrem Schwimmteich baden zu lassen, achten Sie bitte darauf, dass sich diese nie in der Pflanzenzone aufhalten. Die Hunde würden die kleinteilige Biologie der Regenerationszone zerstören, die sich nur langsam wieder erholt. Schaffen Sie flache Randbereiche, an denen die Hunde den Teich sicher verlassen können, ohne die Teichfolie in Mitleidenschaft zu ziehen. Tragen Sie in diesen Bereichen ein möglichst dickes Vlies in mehreren Lagen auf und decken Sie es mit großen Kieselsteinen ab. Planen Sie jeweils mindestens zwei solcher Zonen an Ihren beiden Teichen ein. Sie sind lebenswichtig für Igel und Mäuse, die sich an steilen Ufern nicht an Land retten können und ertrinken würden.

Wenn Sie es geschickt anstellen, wird es von Februar bis Oktober an Ihrem Teich blühen. Und im Herbst kommt noch die Blätterfärbung in Gelb- und Brauntönen hinzu. Welch schöne Kombinationen können dabei entstehen.

Teichform und Technik gehören zusammen

Jetzt muss die gewählte Gestaltungsform mit der Technik abgestimmt werden. Rundliche Formen vereinfachen die Durchströmung. Das gilt sowohl für die Teichoberfläche als auch für die Seitenwände. Zu flache oder zu steile Teichwände sind strömungstechnisch ungünstig und erfordern einen höheren Technikaufwand.

Die Einkammerbauweise

Die kostengünstigste Bauweise ist die, in der Schwimmzone und Regenerationszone aneinander anschließen. Sie verursacht vor allem im Bereich Folienbedarf, Teichrand, Verrohrung, Teichrandgestaltung, Pumpeneinsatz und späterer Stromverbrauch wesentlich geringere Kosten als andere Bauweisen.

Gestalterisch gesehen passt die natürliche Stilrichtung am besten zur Einkammerbauweise, in Teilen aber auch die japanische und mediterrane.

Die Einkammerbauweise hat eine jahrzehntelange Tradition und funktioniert mit geringem Technikeinsatz. Einer ihrer Nachteile ist die erschwerte Kontrolle, die für ein rechtzeitiges Gegensteuern bei Problemen unabdingbar ist.

Alle Baustoffe, Pflanzen und Substrate müs-

Auch grosse Teiche lassen sich in der Einkammerbauweise gestalten.

sen so eingefügt werden, dass sie nicht in den Schwimmbereich gelangen. Um dies zu verhindern, können Sie zwischen dem Schwimmbereich und der Regenerationszone eine Abtrennung aus Holz, Stein, Beton oder Teichsäcken errichten. Eine weitere Möglichkeit ist, eine Folienaufkantung vorzunehmen.

Die Zweikammerbauweise

Bei der Zweikammerbauweise sind die Bereiche Schwimmen und Regeneration baulich voneinander getrennt. Das ermöglicht eine große Gestaltungsfreiheit bei der Teichform und den Teichrändern.
Die Durchströmung eines geometrischen Beckens ist technisch aufwendiger als bei einer organischen Form, aber durchaus möglich. Wenn im geometrischen Becken geschwommen werden soll, wird das Wasser aus dem Schwimmbereich laufend zum Regenerationsbereich gepumpt, dort gereinigt und wieder zurück in den Schwimmbereich geleitet. Liegt der Regenerationsbereich höher als der Schwimmbereich, kann der Rückfluss über einen Bachlauf oder Wasserfall erfolgen. Damit sparen Sie zwar eine Pumpe, der Energieverbrauch aber steigt, da das Wasser einmal hochgepumpt werden muss.
Besteht keine Verbindung zwischen den Teichen, müssen die bewegten Wassermengen in beiden Becken etwa gleich groß sein, um den Wasserstand nicht zu stark schwanken zu lassen. Oder man schafft mittels eines Durchbruchs unter Wasser eine direkte Verbindung zwischen den Teichen. Dann lässt sich im Schwimmbereich für einen konstanten Wasserstand sorgen, weil der Aufbereitungsbereich als Ausgleichsbehälter dient. Die Pflanzen in der Regenerationszone tolerieren gemäßigte Wasserstandsschwankungen problemlos.
Mit dieser Bauweise lassen sich alle Gestaltungsideen umsetzen. Selbst Regenerationsteiche in großer räumlicher Entfernung oder in Kombination mit Indoor- und Outdoor-Teichen sind möglich.

Die Mehrkammerbauweise

Aufbauend auf die Zweikammerbauweise können weitere Becken in den Wasserkreislauf integriert werden. Dies kann durch einen zweiten Klärteich, ein Absetzbecken oder durch einen Vortex erfolgen. Dieses System wird vor allem in der Schweiz öfter gebaut.

Die Technik – das Herz des Teichs

Es gibt verschiedene Ansichten, wie die Technik in einem Teich im Einzelnen auszusehen hat. Aber es gibt auch Grundsätzliches, das in jedem Schwimmteich gleich gehandhabt wird. Im Folgenden werden zunächst die Grundlagen dargestellt und dann die jeweiligen Besonderheiten.

Etwas Naturwissenschaft zum Verständnis

Wasser (H_2O) ist, chemisch gesehen, einfach aufgebaut. Es besteht aus zwei Wasserstoffatomen und einem Sauerstoffatom. Im Teich jedoch bildet es zusammen mit anderen chemischen Elementen ein komplexes Gebilde. Die bedeutendsten Elemente in diesem Gebilde sind Phosphor und Stickstoff. Daneben kommen Schwefel, Calcium, Magnesium, Natrium, Eisen und organische Stoffe vor. Hilfreich für das Erkennen und Beheben von Teichwasserproblemen ist ein Grundverständnis für die chemischen und biologischen Abläufe.

Stehende wie fließende Gewässer in naturbelassenen Gebieten befinden sich nahezu immer im Gleichgewicht. Wird das Gleichgewicht gestört, stellt es sich in der Regel von selbst wieder ein. Das kann mitunter Jahre oder Jahrzehnte dauern, in denen alle Phasen der Regeneration, wie beispielsweise Algenwachstum, durchlaufen werden. Da Teichbesitzer sich diese Zeit aber zurecht nicht nehmen wollen, müssen sie schnell gegen steuern, wenn etwas aus dem Ruder läuft. Von Anfang an leichter hat man es, wenn der Teich eine gewisse technische Grundausstattung besitzt, mit der sich seine Parameter gezielt beeinflussen lassen. Oder wenn die natürlichen Grundlagen so gut sind, dass sich ein stabiles ökologisches System fast von allein entwickelt.

Die meisten Teichbesitzer wünschen sich einen strapazierfähigen, jederzeit nutzbaren Teich. Das geht nicht ohne ein Mindestmaß an Technik. Da das Wasser niemals vollständig ausgewechselt werden sollte, gilt es das biologische Gleichgewicht möglichst stabil zu halten.

In Messungen über zwei Jahre wurden die Temperatur, zwei Sauerstoffgehalte in verschiedenen Wassertiefen, der pH-Wert und der Redoxwert festgehalten. Vier Pumpen unterschiedlicher Stärke, bei denen Stellmotoren die Leistungsfähigkeit regelten, steuerten die Technik. Das Ergebnis dieser Messreihe war, dass es durch den Einsatz von Technik einfacher ist, die Wasserqualität zu steuern. Das bedeutet aber nicht, dass mehr immer besser ist: Denn bei über einen längeren Zeitraum deutlich erhöhter Pumpenleistung verschlechterte sich die Wasserqualität. Durch das schnelle Durchströmen des Substrats waren die Pflanzen und das Substrat nicht mehr in der Lage, die Nährstoffe aufzunehmen.

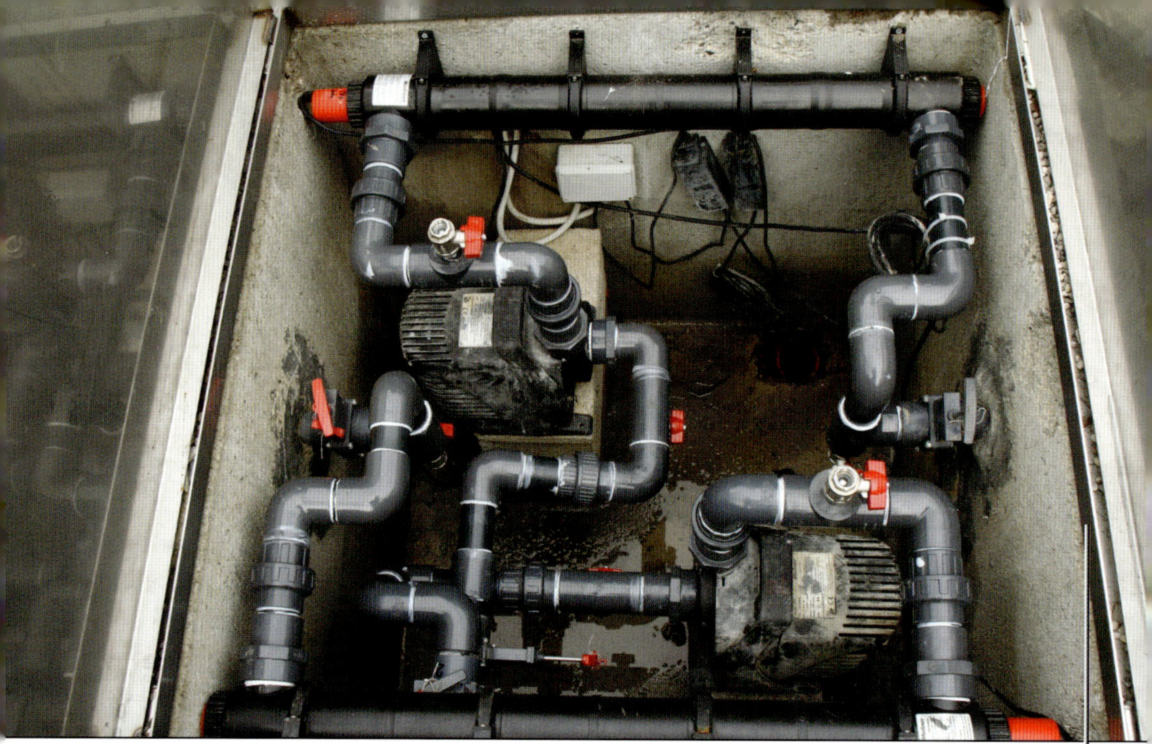

Pumpenkammer mit Verrohrung mit PVC-U-Rohren

Der Technikplan

Nachdem der Planer die Kundenwünsche abgeklärt und die Kosten grob veranschlagt hat, erstellt er einen Technikplan. Hierfür müssen vor Ort die Möglichkeiten festgestellt werden, in Bezug auf

1. den Wasseranschluss,
2. den Stromanschluss,
3. den Abwasseranschluss und
4. die Zugänglichkeit der Baustelle.

Zu 1. Eine automatische Wassernachspeisung sorgt dafür, dass sich der Wasserspiegel immer auf einer festgelegten Höhe hält. Sollten Sie darauf verzichten wollen, können Sie kostengünstig mit Regenwasser oder über einen Wasserschlauch nachfüllen. Hinsichtlich des Wasseranschlusses kann also relativ frei geplant werden.

Zu 2. Der Stromanschluss für die Technik stellt also auch keinen begrenzenden Faktor dar. Er sollte mithilfe eines Elektrikers bis zur jeweiligen Technikkammer verlängert werden. Die Erzeugung von Strom aus Sonnenenergie ist im Moment noch nicht leistungsfähig genug, um größere Pumpen zu betreiben. Einige Firmen, wie beispielsweise Bio Piscinas, aber arbeiten bereits daran.

Zu 3. Der entscheidende Punkt ist der Abwasseranschluss. Jeder Teich muss einen Notüberlauf mit groß dimensionierten Versickerungsrinnen oder -schächten erhalten. Denn es ist nicht erlaubt, das Abwasser des Teichs in die Dachrinne oder die Hausentwässerung zu leiten. Bei einem normalen Regenguss von 15 l/m² und einer Teichoberfläche von 125 Quadratmetern fällt eine Wassermenge von rund 2.000 Liter an, die abgeführt oder versickert werden muss. Bei einem Gewitterregen von 60 bis 70 l/m² ergeben sich bereits rund 9.000 Liter. Der Überlauf sollte einen Rohrdurchmesser von 63 Millimetern und mehr haben. Wenn man auf dieses Rohr einen 75-Grad-Bogen aufsteckt, lässt sich die Wasserhöhe durch Drehen des Rohrs regulieren. Ist der Wasserstand zu tief, wird der 75-Grad-Bogen nach oben gedreht. Hat man sich beim Überlauf vermessen, verlängert man das Rohr mit einem Rohrstück und setzt den Bogen dann neu auf.

Möchten Sie mit dem Wasser aus dem Notüberlauf Ihren Garten bewässern, sollten Sie gleich hinter dem Teich ein Dränagerohr verlegen. Das Rohr läuft unterirdisch durch den Garten und trifft dann erst auf den Sickerschacht. Oder Sie leiten das biologisch gute Teichwasser in eine Zisterne und schließen diese an die Entwässerung an.

Die Technikkammer

Die Technik sollte in einem Raum untergebracht werden, der die jeweils gültigen DIN- oder FLL-Vorschriften erfüllt.

Die Kammer selbst kann aus einfachen Steinen oder aus Hohlblocksteinen gemauert sein. Auch gibt es immer mehr vorgefertigte Module von Systemanbieter, die überwiegend aus Kunststoff bestehen.

Wichtig ist ebenfalls, dass in der Kammer ein entsprechender Bodenablauf vorgesehen ist. Falls eine Leitung undicht sein sollte oder platzt, kann das Wasser schnell in die Entsorgungsleitung oder zurück in den Teich geführt werden.

So sieht eine Technikkammer aus: hier in diesem Beispiel mit zwei Pumpen, vier Zulaufleitungen vom Teich und fünf Ablaufleitungen zum Teich.

▷ TIPP

Bauen Sie die Technikkammer lieber etwas größer, als im Moment nötig. Sollten sich Ihre Wünsche ändern, braucht die Kammer nicht abgerissen oder vergrößert zu werden. Auch lässt es sich in einer etwas großzügiger dimensionierten Kammer viel leichter arbeiten. Als Mindest-Innenmaß sind 1,0 x 1,50 m ideal.

Um die Wasserstandshöhe manuell regeln zu können, empfiehlt es sich, einen zusätzlichen Abzweig in einer der Rohrleitungen des Teichkreislaufs einzufügen. Über einen Kugelhahn oder Schieber in der Kammer lässt sich so vor dem Winterbetrieb beispielsweise entsprechend Wasser ablassen.

Die Rohrleitungen

Achten Sie bitte darauf, dass alle Leitungen absolut dicht sind. Um dies zugewährleisten, verlegt man am besten dort, wo später die

Teichhülle aufliegt, geklebte PVC-U-Rohre. Dies ist zwar um einiges aufwendiger, die Leitungen aber sind damit praktisch unzerstörbar. Übergänge und Anschlüsse an andere Rohrdurchmesser und Materialarten sind problemlos möglich. Ab dem Bodenablauf in Richtung Technikkammer bietet es sich an, Rohre mit einem Durchmesser von 110 Millimetern und größer zu verwenden. Dieser Durchmesser sollte, wenn möglich, auch unter der Teichfolie nicht verringert werden. Denn bis zur Technikkammer fließt das Wasser drucklos durch die Leitung. Der große Durchmesser verringert die Verwirbelung des Wassers und transportiert deutlich mehr bei einer größeren Sogwirkung.

▷ TIPP

Ein 50-mm-Rohr transportiert im Vergleich zu einem 100-mm-Rohr nur 25 Prozent der Wassermenge. Bei gleicher Pumpenleistung beschleunigen geringe Rohrdurchmesser das Wasser unnötig stark, sodass es zu Verwirbelungen im Rohr kommt, die ein Absterben der Mikroorganismen zur Folge haben können. Zu empfehlen für die Ableitungen vom Teich zur Technikkammer ist ein Durchmesser von 110 Millimetern zu empfehlen. Die Zuleitungen von der Technikkammer zum Teich sollten einen Durchmesser von 50 Millimetern haben. Und bitte verwenden Sie möglichst wenige 90-Grad-Bögen, um zu vermeiden, dass sich unnötig Widerstand in den Leitungen aufbaut.

Um eine angemessene Sicherheit im Rohrleitungssystem zu erzielen, sollte jede Leitung mit einem Rückschlagsventil ausgestattet sein. Außerdem ist die Verwendung von mehreren Zug- oder Absperrhähnen pro Leitung ratsam, zum Beispiel beim Technikkammer-Eintritt und -Austritt. Die Überprüfung jedes einzelnen Strangs vereinfacht das Auffinden von Leckagen. Ein weiterer Vorteil ist, dass im Frühjahr oder Herbst nur ein Strang des Filtersystems betrieben werden kann. Und dass es sich in der Kammer viel leichter arbeiten lässt, da jede technische Einheit getrennt anfahrbar ist.

Damit es später bei den Rohrleitungen zu keiner Verwechslung kommt, werden die Leitungen am Ende mit einem wasserunlöslichen Stift gekennzeichnet. Wenn die Rohre erst wieder mit Sand und Erde bedeckt sind, wird das Zuordnen schwierig. Sie könnten beispielsweise die Rohre, die vom Teich zur Technikkammer gehen, mit roter Farbe kennzeichnen und die Rohre, die aus der Technikkammer herausgehen, blau markieren. Bitte vergessen Sie nicht, dies auch so im Leitungsplan festzuschreiben. Hier müssen ebenfalls baubedingte Änderungen umgehend vermerkt werden.

Die Grenzen der Steuerbarkeit

Prinzipiell lassen sich alle Parameter des Teichwassers über ein Steuergerät erfassen und beeinflussen. Am einfachsten ist das Feststellen des pH-Werts und des Sauerstoffgehalts. Messsonden gibt es für die folgenden Inhaltsgrößen des Teichwassers, die jeweils in verschiedenen Wassertiefen angebracht werden können.

- pH-Wert
- Temperatur
- Sauerstoffgehalt
- Redoxwert

Diese Werte können entweder nur gemessen werden, um eine Information über das Teichwasser zu einer bestimmten Tages- oder Jahreszeit zu gewinnen. Oder diese Größen werden, wenn sie sich nicht im Optimum befinden, nach der Messung automatisch verändert.

Beispielsweise lässt sich der pH-Wert zwischen 6,9 und 7,2 einstellen. Steigt er durch äußere Einflüsse auf über 7,2, wird dem Wasser so lange Säure hinzugefügt, bis der pH-Wert wieder deutlich unter 7,2 liegt. Dann stoppt das Gerät automatisch. Da der pH-Wert nachts immer niedriger ist als tagsüber, wird die Steuerung besonders während des Tages wichtig.

In Natur-Schwimmteichen dienen solche Steuergeräte nur der Kontrolle und der Dokumentation. Hier lassen sich ausreichend biologische Parameter einbauen, die im Laufe der Jahre ein biologisches Gleichgewicht im Teich herstellen. Dieses natürliche Gleichgewicht ist wesentlich stabiler als ein Gleichgewicht, das durch ständiges Beifügen von chemischen Substanzen erzeugt wird.

Aus dem Fischteichbau gibt es bereits einschlägige Erfahrungen mit hoch technisierten Teichen. Die Technik wird für die Reinigung des Wassers, für dessen Aufbereitung und für die Beeinflussung einzelner Parameter eingesetzt. Zunächst werden dem Wasser durch mechanische Reinigung möglichst viele störende Stoffe entzogen. Sollten sich die einzelnen Wasserparameter nicht innerhalb des vorgegebenen Schwankungsbereichs befinden, erfolgt eine Korrektur.

Bei hoch technisierten Teichen muss eine regelmäßige Wartung der Geräte erfolgen, um einen reibungslosen Teichbetrieb zu ermöglichen. In einem Fall in Stuttgart im Jahr 2002 wurde der pH-Wert in einer Schauanlage für Kois routinemäßig abends kontrolliert und als optimal beurteilt. Am nächsten Morgen aber waren alle Kois tot. Der pH-Wert war auf fast drei gesunken und der Vorratsbehälter für die Salzsäure leer. Was war passiert? Die Messsonden hatten falsche Ergebnisse gemeldet. Darauf hin gab die Pumpe so viel Salzsäure wie möglich ins Wasser ab. Laut Kontrollbuch der Anlage waren die Messsonden alle zwei Jahre gewechselt und zusätzlich regelmäßig kalibriert worden.

Hier zeigen sich die Grenzen der Technik auf. Fluch und Segen liegen nahe beieinander. Jede einzelne Sonde kann über eine weitere Sonde abgesichert werden. Erst wenn beide Sonden dasselbe Ergebnis melden, reagiert die Pumpe. Auch ein Kontrollrechner, der die einzelnen Messergebnisse miteinander vergleicht und notfalls die Anlage abschaltet, hätte dieses Desaster verhindern können. Aber diese Steuergeräte kosten deutlich mehr.

Ihr Preis ist um rund 1.500 Euro höher als der von einfachen Geräten des Zubehörhandels. Die Teichtechnik sollte dauerhaft von einem Fachmann gewartet werden. Dies kann auch ein Elektriker oder Installateur sein, der in die Materie eingewiesen wurde.

Selbstbau oder Vergabe

Nun gilt es zu überlegen, wie viel Zeit Sie für den Bau und für die Pflege Ihres Schwimmteichs verwenden wollen. Und auch wie es um Ihre finanziellen Möglichkeiten bestellt ist.

Ein Schwimmteich in Zahlen

Damit Sie eine Vorstellung darüber erhalten, wie groß ein Schwimmteich ist, wie viel Wasser er enthält und wie viel er kostet, finden Sie im Nachfolgenden eine Übersicht über die wichtigsten Eckdaten im Teichbau. Der vorgestellte Schwimmteich ist in der Praxis sehr beliebt, da er sowohl beschwimmbar ist, als auch über eine Grundausstattung verfügt, die andere Nutzungen zulässt.

Sehr beliebt in der Praxis ist diese Schwimmteichgröße. Selbst im Winter ist der Teich fürs Schlittschuhlaufen groß genug.

Ein Schwimmteich in Zahlen

Teichdichtung:	Folie PVC, FPO oder EPDM
Größe Schwimmbereich:	ca. 8 x 5 m = 40 m²
Größe Regenerationsbereich:	ca. 40 m²
Erstausstattung Pflanzen:	ca. 5-7 Pflanzen/m²
Technik:	komplette Verrohrung
	1 Bodenablauf, 1 Skimmer, 2 Pumpen, 1 Sprudelstein
Erdaushub:	größtenteils maschinell möglich
	Einbau des Aushubs im Garten möglich
Holzsteg:	Fundament im Teich berücksichtigen und einbauen
Nutzung:	2-3 Erwachsene, 2-4 Kinder
Tiere:	vorbereitet für den späteren Fischbesatz, Hund darf gelegentlich baden

Die Teichbaustelle

Rund zwei bis drei Wochen dauert es, bis ein Fachbetrieb den oben beschriebenen Schwimmteich erstellt hat. Dabei arbeiten drei bis vier Arbeitskräfte gleichzeitig. Die Anwesenheit des Baustellenleiters ist nicht durchgängig erforderlich, wenn er dem Bauherrn vorab die notwendigen Pläne und die Baubeschreibungen übergeben hat.

Es gibt verschiedene Möglichkeiten, den Teichbau anzugehen. Die beiden Extreme sind a) Sie vergeben die Einzelarbeiten Planung, Bauleitung, Bau und Pflege an eine Fachfirma oder b) Sie machen alles selbst. Dazwischen liegen viele Kombinationen. Ihre optimale Kombination finden Sie, wenn Sie Fähigkeiten, Zeit und Budget in Einklang bringen.

Lassen Sie alles von einer Fachfirma ausführen, kostet der besagte Schwimmteich rund 20.000 bis 25.000 Euro. Übernehmen Sie Aufgabenbereiche reduziert sich der Anschaffungspreis um folgende Beträge.

Planung

Bei der Planung ist das Hinzuziehen eines Fachmanns unbedingt notwendig. Der Zeitbedarf beträgt erfahrungsgemäß rund zwei Wochen.

Bauleitung

Ganz ohne die Bauleitung durch einen Fachmann wird es nicht gehen. Das Einsparpotenzial bei entsprechender Eigenleistung kann bis 2.000 Euro betragen. Der Fachmann sollte zu Baubeginn, dass heißt die ersten zwei Tage, ganztägig vor Ort sein. Später reicht ein Besuch der Baustelle von mindestens einer Stunde pro Tag. In der zweiten Bauwoche reduzieren sich die Besuche dann auf jeden zweiten Tag.

Bau

Der Bau ist der größte Kostenpunkt. Je nach Ihren Fähigkeiten können Sie hier zwischen 5.000 und 10.000 Euro durch Eigenleistung einsparen. Der Zeitbedarf bei gutem Wet-

Vorbereitungen für die Anlage der Kapillarsperre

ter beträgt mindestens zwei Wochen, wahrscheinlich eher drei und Sie benötigen zwei bis drei Helfer.

Die Randzonen des Schwimmteichs müssen mit besonderer Sorgfalt verdichtet werden.

Pflege

Die Teichpflege ist in der Regel nicht im Grundangebot eines Schwimmteichs enthalten, sondern lediglich die Fertigstellungspflege. Die jährliche Grundpflege kostet zwischen 1.000 und 2.000 Euro. Sollten Sie sich einen professionellen Teichsauger anschaffen, so reduzieren sich die Pflegekosten entsprechend. Die Grundpflege sollte jeweils im Frühjahr und Herbst erfolgen. Für die ständige Pflege muss je nach Anspruch mindestens eine Stunde pro Woche eingeplant werden.

Reinigung der Regenerationszone mit Teichsauger

Die technische Versorgung

Elektrik

Der Anschluss Ihres Schwimmteichs an die Versorgungsleitung ist bereits im Technikplan festgehalten. Für die elektrische Versorgung genügt im Normalfall ein fünfadriges 220-V-Erdkabel. In der Technikkammer dürfen nur wasserdichte, über einen extra FI-Schutzschalter abgesicherte Steckdosen verwendet werden. Die Anordnung der Pumpen in der Technikkammer hat elektrischen Vorschriften zu genügen. Außerdem sollten Sie die Pumpen in der Technikkammer am besten jeweils auf einen kleinen Sockel stellen, um zu vermeiden, dass sie im Schwitzwasser oder in eindringendem Niederschlagswasser stehen. Bitte beachten Sie auch, dass die elektrische Ausstattung mindestens zwei Meter vom Teichrand entfernt sein muss. Ein geprüfter Elektromeister muss die Bauteile abnehmen, bevor sie in Betrieb genommen werden dürfen.

Wasser

Die Wasserversorgung kann entweder über Brunnenwasser, die Hauswasserversorgung oder über Regenwasser erfolgen. Woher Sie es auch nehmen, vor der Befüllung Ihres Schwimmteiches sollten Sie unbedingt eine Wasseranalyse in einem Prüflabor durchführen lassen. Diese kostet zirka 40 bis 60 Euro, kann Ihnen aber erhebliche Unannehmlichkeiten ersparen. In manchen Füllwassern ist zu viel Eisen, in anderen zu viel Phosphat.

Grundsätzlich ist auch Regenwasser als Füllwasser geeignet. Nur sollten Sie die ersten 1.000 Liter nicht direkt in Ihren Teich fließen lassen. Möglicherweise enthält das Regenwasser nämlich Luftschadstoffe, die sich als Staub auf dem Dach Ihres Hauses abgelagert hatten. Um einen Wassereintrag der Schadstoffe zu vermeiden, sollte man sich einfacher technischer Reinigungsmöglichkeiten bedienen. Beispielsweise kann das Regenwasser in den Regenerationsbereich des Schwimmteichs einleitet werden, der ein entsprechend angepasster Substratmix führt.

Dem Wasser aus dem Wasserwerk wurden in der Regel Chemikalien zu gesetzt, um den Bundes-Wassergrenzwerten zu genügen. Oft erschrickt man, was laut Wasseranalyse alles im Trinkwasser enthalten ist. Mitunter reicht es aus, das Füllwasser mindestens 48 Stun-

Einer der Hauptbestandteile der Jahrespflege, das Teichsaugen

den lang in Ihrem Schwimmteich ausgasen zu lassen. Ist dies nicht der Fall, muss der Wasserkreislauf in Ihrem Schwimmteich entsprechend angepasst werden.

Der Servicevertrag

Sie ersparen sich in der Anfangszeit eine Menge Probleme, wenn Sie einen Servicevertrag mit dem Unternehmen abschließen, das Ihren Teich gebaut hat. Oder Sie lassen den Planer Ihres Teiches ein Pflegehandbuch für das erste Jahr erstellen. Da jeder Schwimmteich ein individuelles Produkt ist, muss dieses Pflegehandbuch auf den jeweiligen Teich abgestimmt sein. Sie werden sehen, schon ab dem zweiten Jahr kommen Sie mit der Pflege deutlich besser zurecht. Und das, obwohl das zweite und dritte Jahr die kritischsten sind, da Ihr Teich »einläuft« und sein biologisches Gleichgewicht findet. Ganz wichtig in diesem Zeitraum ist, nicht mit chemischen Algenvernichtern zu arbeiten, da diese einen negativen Einfluss auf die Biologie Ihres Schwimmteichs haben. Einen Jahrespflegevertrag erhalten Sie je nach Leistungsumfang ab 1.000 Euro. Je mehr Sie mithelfen, umso weniger Mehrkosten fallen an. Falls Sie allerdings keine grünen Mikroorganismen in Ihrer Schwimmzone dulden, sind mehr als zwei Teichreinigungen pro Jahr notwendig. Nach dem Sie sich das Wichtigste angeeignet haben, können Sie die Teichreinigungen meist problemlos selbst übernehmen.

Die Technikausstattung

Eine komplexe Technik erfordert eine aufwendige Wartung und neigt zu einer höheren Störanfälligkeit. Sie sollten daher beim Betrieb Ihres Schwimmteichs und bei der Pflege auf eine möglichst einfache Technik Wert legen.

Geben Sie bei der Erstausstattung den Fabrikaten den Vorzug, die schon längere Zeit auf dem Markt sind. Dies hat den Vorteil, dass Sie auch später mit großer Wahrscheinlichkeit Ersatzteile nachkaufen und einen Service in Anspruch nehmen werden können. Und verwenden Sie Pumpen, die ihre Zuverlässigkeit bereits in diversen Tests bewiesen haben. Sollte in den Sommermonaten tagsüber eine Pumpe ausfallen, so kann Ihr Teich massive Probleme bekommen.

Auch was die anderen Bauteile anbelangt, sollten Sie in der Auswahl ähnlich verfahren. Verwenden Sie am besten auch Rohre eines Fabrikats und eines Durchmessers inklusive aller Winkel, Bögen und Absperrhähne. Sie würden sich sonst einer unüberschaubaren Menge an Materialien und Zubehörteilen gegenübersehen.

Die Folie, die bereits zehntausende von Quadratmetern Teich abgedichtet hat, wird auch in vielen Jahren noch bei Ihrem Händler zu beziehen sein. Das gibt Ihnen die Sicherheit, dass Sie auch für Teicherweiterungen oder Nachbesserungen das bewährte Material bekommen. Kaufen Sie möglichst alle Pumpen vom selben Typ. Falls Sie unterschiedliche Leistungsstufen benötigen, lässt sich dies mit einem Frequenzumrichter erreichen. Dieser wird zwischen Steckdose und Pumpe gesteckt und regelt die Leistungsabgabe Ihrer Pumpe. Am besten Sie kaufen zu den benötigten Pumpen eine weitere baugleiche Pumpe dazu, die Sie originalverpackt bei sich verwahren. Bei auftretenden Problemen kann die defekte Pumpe sofort auswechselt werden, ohne dass die Wassergüte in Ihrem Teich leidet. Das schont die Nerven und ist bestimmt die paar hundert Euro mehr wert.

> **▷ TIPP**
>
> Verwenden Sie Pumpen, die sowohl über als auch unter Wasser arbeiten. Sollte Ihre Technikkammer voll Wasser laufen, lassen sich diese wieder problemlos in Betrieb nehmen.

> ▷ **TIPP**
>
> Vermerken Sie in Ihrem Baustellenbuch die verwendeten Materialien und Maschinen mit ihren speziellen Bezeichnungen. Bei der Pumpe sollten Sie beispielsweise den genauen Typ, die Seriennummer und das Kaufdatum notieren sowie den Rechnungsbeleg archivieren. Das vereinfacht die Beschaffung von Ersatzteilen und Austauschaggregaten.

Die Pflanzenauswahl sollte auf 15 bis 20 verschiedene Arten begrenzt werden, von diesen können fünf bis acht Arten Unterwasserpflanzen sein. Damit ist der nach wenigen Jahren im Teich beginnende Verdrängungswettbewerb der Pflanzenarten leichter kontrollierbar.

Was kann man selber machen? Bei Erd-, Transport- und Pflanzarbeiten kann der Teichbesitzer mit anfassen. Planung, Bauantrag, Folienverlegen und -verschweißen sollten hingegen dem Fachmann überlassen bleiben.

So finde ich den richtigen Teichbauer

Sie haben sich für den Bau Ihres Schwimmteichs, Ihres persönlichen Wasserparadieses entschlossen. Sie wissen recht genau, wie Ihr Teich aussehen soll, wie Sie ihn nutzen werden und wie viel Zeit und Geld Sie aufwenden werden. Sie wissen nur noch nicht genau, mit wem und wie umfangreich Sie bauen wollen. Und genau davon handelt dieses Kapitel.

Die Schwimmteichtypen

Vor einigen Jahren gab es Bestrebungen, den relativ unübersichtlichen Schwimmteichmarkt zu ordnen. Besondere Bedeutung kommt hier dem österreichischen Schwimmteichbauer Richard Weixler und dem Verband österreichischer Schwimmteichbauer (VÖS) zu. Richard Weixel hat die nachfolgende Unterteilung vorgenommen, die vom Autor in Teilen ergänzt wurde. Die angegebenen Preise sind Richtwerte und können je nach Ausführung variieren. Die absoluten Werte beziehen sich auf einen 80 Quadratmeter großen Schwimmteich.

TYP I: Naturnaher Schwimmteich - ohne Technik

Dank ausreichendem Platz können Sie eine größere Gartenfläche für Ihren Schwimmteich verplanen. Dabei wird die verplante Fläche zu einem Drittel als Schwimmfläche und zu zwei Dritteln als Regenerationszone verwendet. Durch den Technikverzicht muss die Regenerationszone dicht bepflanzt werden. Die Teichtiefe sollte mindestens zwei Meter, besser mehr betragen.

Als Stilrichtung kommt fast ausschließlich die natürliche Gestaltung in Betracht. Sie können Natur pur genießen. Viele Tiere und Pflanzen werden sich bei Ihnen einstellen.

Es wird immer wieder, besonders im Frühjahr, zu Wassertrübung durch Algen kommen. Dies akzeptieren Sie aber als Teil des biologischen Gleichgewichts Ihres Schwimmteichs. Zweimal jährlich müssen Sie die Pflanzen in Ihrem Teich zurückschneiden, der ansonsten biologisch sehr stabil ist, ohne viel Arbeit zu erfordern. Die Baukosten betragen 100 bis 150 €/m² Gesamtwasserfläche.

TYP II: Schwimmteich mit wenig Technik

Der Schwimmteich mit wenig Technik ist zurzeit einer der am weit verbreitetsten Teicharten. Die Verteilung von Schwimmfläche zu Regenerationszone beträgt rund 1:1. Dabei ist die Regenerationszone baulich von der Schwimmzone abgegrenzt. Das gesamte Wasservolumen kann mit einer Pumpe, die nicht ständig tagsüber laufen muss, alle drei bis fünf Tage umgewälzt werden. In den Wasserkreislauf lässt sich ein kleiner Bachlauf, ein Quellstein oder ein kleiner Springbrunnen integrieren. Hiermit werden die im Teichwasser befindlichen Nährstoffe und der eingebrachte Sauerstoff besser verteilt. Dass sich ein biologischer Rasen auf der Teichfolie bildet, ist ganz natürlich. Durch die Technik ist das biologische Gleichgewicht des Teichs besser steuerbar. Die Baukosten sind allerdings wesentlich höher als bei Typ I. Sie betragen zirka 2.000 bis 2.500 Euro mehr. Dazu kommen jährliche Stromkosten von 200 bis

300 Euro. Der Teich sollte mindestens zwei bis drei Meter tief sein.
Zu Typ II passt die natürliche Stilrichtung am besten. Die anderen Stilrichtungen können nur mit Einschränkung verwirklicht werden. Die Pumpe sollte einmal pro Woche kontrolliert und durchgespült werden. Ihre Pflanzen am Teich gedeihen am besten, wenn Sie sie zweimal im Jahr zurückschneiden. Es fallen Baukosten in Höhe von 120 bis 220 €/m² Gesamtwasserfläche an.

Typ III: Schwimmteich mit mittlerer Technik

Ebenfalls weit verbreitet ist der Schwimmteich, der mit einem mittleren Technikumfang ausgestattet ist. Hier kann die Regenerationszone auf 30 bis 40 Prozent der Gesamtfläche zugunsten einer größeren Schwimmfläche verringert werden. Wenn es gewünscht wird, lassen sich die beiden Bereiche räumlich völlig voneinander trennen.
Anders als bei Typ II wird eine stärkere Pumpe notwendig. Manchmal bietet es sich auch an, mehrere stärkere Pumpen einzubauen. Sie müssen täglich länger laufen als bei Typ II und erzeugen eine Strömung im Teich. Zur Grundausstattung gehört ein Skimmer, der entweder als Schwimmskimmer oder als Überlaufrinne eingesetzt werden kann. Sinnvoll ist auch ein in das Techniksystem integrierter Bodenablauf. Das Wasservolumen wird alle ein bis zwei Tage komplett umgewälzt. Mithilfe der Technik sollte das Teichwasser stets klar bleiben.
Die Baukosten erhöhen sich im Vergleich zu Typ I um zirka 2.000 bis 6.000 Euro. An jährlichen Energiekosten fallen 300 bis 600 Euro an.
Bei einer Schwimmfläche von 8 x 5 m plus entsprechender Regenerationszone beträgt der Preis für den Selbstbausatz zirka 8.000 Euro. Im Bausatz enthalten sind alle benötigten Materialien in einer hochwertigen Qualität sowie die Teichpflanzen. Die Arbeiten führt der Schwimmteichbesitzer selbst aus. Für den Mitbausatz bezahlt man rund 13.000 Euro. Die mitgelieferten Materialien sind dieselben. Den Einbau der Folie, der Technik und des Substrats führt eine Fachfirma durch, die ebenfalls die Bepflanzung übernimmt. Die übrigen Arbeiten erfolgen in Eigenleistung. Die komplette Erstellung des Schwimmteichs durch eine Fachfirma kostet zirka 25.000 Euro.
Die Teichtiefe sollte mindestens 2 Meter und maximal 3,50 Meter ausmachen. Als optimal erwiesen haben sich Teichtiefen ab 2,50 Meter. Ab dieser Tiefe werden durch das Schwimmen weniger Sedimente aufgewirbelt und das Wasser im Schwimmbereich bleibt klarer.
Als Stilrichtung bieten sich, mit Ausnahme der mediterranen, alle an. Notwendig ist eine laufende Kontrolle der Pumpen und des Skimmers. Ansonsten fällt ein normaler Pflegeaufwand an. Die Baukosten betragen 250 bis 400 €/m² Gesamtwasserfläche.

Typ IV: hoch technisierter Schwimmteich

Bei diesem Typ tritt die Natur zugunsten von mehr Technik in den Hintergrund. Die Regenerationszone reduziert sich auf zirka ein Drittel der Gesamtfläche, die Pflanzenzone kann jedoch größer sein. Die bauliche Trennung der Teichteile ist möglich. Mehrere, zum Teil leistungsstarke, Pumpen sorgen für eine kräftige Zirkulation des Wassers. Einzelne Bausteine wie Skimmer, Einströmdüsen, UV-Lampe und Bodenablauf werden in das Techniksystem eingebaut. Die Regenerationszone wird mit einem speziellen Rohrleitungssystem durchströmt, das ebenfalls gesteuert werden kann. Filter ersetzen zum Teil biologisch filtrierende Kleinstlebewesen, die normalerweise in der Regenerationszone vorkommen.

Durch den größeren Technikbesatz fallen deutlich höhere Baukosten an, die im Vergleich zu Typ I zusätzlichen rund 10.000 Euro verursachen. Die Teichtechnik steuert die biologisch natürlichen Prozesse nun umfassend. Die Energiekosten betragen je nach Technik gut 1.000 bis 2.000 Euro pro Jahr. Hier sind erstmals Wassertiefen auch unter zwei Meter möglich. Die Stilrichtung ist frei wählbar. Die Teichtechnik muss laufend kontrolliert werden. Auf Wunsch kann dies auch automatisch per Computer erfolgen. Als Richtwert für die Baukosten seien 400 €/m² Gesamtwasserfläche und mehr genannt.

Typ V: Naturpool

Der Naturpool ist mit einem Swimmingpool vergleichbar, nur dass hier die Wasserreinigung biologisch erfolgt. Die Regenerationszone kann flächenmäßig nocheinmal kleiner ausfallen und kommt teilweise ohne Pflanzenbestand aus. Alle Bauteile sind voneinander trennbar. Sie können sowohl indoor als auch outdoor platziert werden. Eine ausgeklügelte Technik, die von verschiedenen Substraten und Mischverhältnissen unterstützt wird, sorgt für eine sichere Wasserklärung. Hierfür sind mehrere Pumpen notwendig, die sich zu einem Techniksystem ergänzen. Ziel ist es, ohne die biologisch vorhandenen Makrophyten auszukommen.

Dieses System kann kaum mehr selbst eingebaut werden. Beim Bau des Schwimmteichs fallen deutlich höhere Kosten an, teilweise kann ein vorhandener Swimmingpool in die neue Schwimmteich-Anlage integriert werden. Die Energiekosten liegen über 1.200 Euro pro Jahr. Die Teichtiefe und die Stilrichtung sind frei wählbar. Die laufende Überwachung der Anlage muss einem Fachmann übertragen oder computergesteuert werden. Die Baukosten betragen 400 €/m² Gesamtwasserfläche und mehr.

Schwimmteichtypen im Vergleich

Typ	I	II	III	IV	V
Baukosten je m² Gesamtwasserfläche	100 - 150		120-220	250-400	über 400
Natürliche Anmutung	+ +	+	+ –	–	––
Freie Gestaltung	– –	–	+ –	+ +	+ +
Größe der Regenerationszone	+ +	+	+ –	–	– –
Feste Wände	– –	+ –	+ –	+	+ +
Betonierter Boden	– –	–	+	+	+ +
Sichttiefe	– –	+ –	+ –	+ +	+ +
Mulmablagerung	+ +	+ –	–	– –	– –
Anfällig für Algenbildung	+	+ –	–	– –	– –
Natürliche Tierpopulation	+ +	+	+ –	–	– –
Skimmer/ Rinne	– –	+ –	+	+ +	+ +
Bodenablauf	– –	–	+	+	+
Wasserheizung	– –	+ –	+	+ +	+ +
Stromverbrauch	– –	–	+	+ +	+ +
Automatische Messmöglichkeiten	– –	–	+	+ +	+ +
Fische im Teich	+ –	+	+ +	+ –	– –
Technikintensität	– –	–	+	+ +	+ +
Spielmöglichkeiten für Kinder	+ –	+	+ +	+ +	+ +
Aufwendigkeit des Baus	+ –	+ –	+ +	+ +	+ +
Pflegeaufwand insgesamt	– –	–	+	+ +	+ +
Automatische Reinigungsmöglichkeiten	– –	–	+	+ +	+ +
Folgekosten	–	–	+ –	+ –	+ –

Systembau oder frei?

Wer die Wahl hat, hat die Qual. Versuchen Sie nicht, aus der Vielfalt der Materialien und Dienstleistungsangebote die für Sie beste Kombination heraus zu suchen. Wählen Sie lieber zwischen den nachfolgenden Anbietern und überlassen Sie denen die Einzelheiten. Ihre Nerven werden es Ihnen danken.

Die Anbieter

1) Für Ihre Planung und Bauleitung sind Gartenarchitekten und Gärtnermeister zu ständig.
2) Komplettanbieter übernehmen alles für Sie von der Planung über den Bau bis hin zur Pflege. Hier können Sie zwischen Franchise-Anbietern und freien Anbietern

wählen. Erstere haben sich an eine bestimmte Firma gebunden, die die Technik des Teichbaus und die Wasserreinigung im Detail vorgibt.

3) Systemanbieter haben einzelne Komponenten in ihrem Programm, die Sie erwerben und dann selbst in Ihren Schwimmteich einbauen können. Oder Sie beauftragen eine Fachfirma mit dem Einbau.

Gartenarchitekten und Gärtnermeister als Planer

Der Planer erstellt auf der Grundlage Ihrer Wünsche eine Vorplanung. Falls Sie das möchten, übernimmt er auch die Bauleitung und gibt Ihnen anhand von Skizzen sowie Plänen die Reihenfolge der zu verrichtenden Arbeiten vor. Bei Bedarf stellt er darüber hinaus Kontakt zu Fachfirmen her. Während der Bauphase über ist er Ihr Ansprechpartner.

Es gibt in Deutschland inzwischen Planungsbüros, die auf diese besondere Art der Gartengestaltung spezialisiert sind. Weitere Informationen erhalten Sie in der Fachzeitschrift »Der Schwimmteich«, im Internet per Suchmaschine oder über die Deutsche Gesellschaft für naturnahe Badegewässer e.V. (DGfnB, siehe Adressen im Anhang). Analoges gilt für die zwei anderen oben genannten Arten von Anbietern.

Die Planungskosten werden üblicherweise über die Honorarordnung für Architekten und Ingenieure (HOAI) abgerechnet. Rechnen Sie hier mit rund 2.000 Euro. Gut angelegtes Geld, wenn man bedenkt, wie viele Probleme sich durch eine sorgfältige Planung vermeiden lassen.

Vorteile

- ◇ umfassendes Fachwissen, das Sie sich zunutze machen können
- ◇ Planungssicherheit
- ◇ gestalterische Freiheit
- ◇ freies Design
- ◇ Detailplanung
- ◇ stetige Betreuung während der Bauphase
- ◇ Service vor Ort

Nachteile

- ◇ Planer ist nicht der Ausführende
- ◇ zu wenige spezialisierte Planer
- ◇ man sieht nicht viel fürs Geld

Die Franchise-Anbieter

Im Nachfolgenden soll Ihnen ein Überblick über den aktuellen Schwimmteichmarkt gegeben werden, ohne eine Empfehlung für den einen oder anderen Anbieter aussprechen zu wollen. Eine unabhängige Beratung erhalten Sie von den spezialisierten Gartenarchitekten und von Sachverständigen. Die Adresse des Bundes deutscher Sachverständiger und Fachgutachter e.V. (BDSF) sowie die der Bundesarchitektenkammer (BAK) finden Sie im Anhang.

Vorteile

- Musterteiche
- Referenzadressen
- getestete Systeme
- Fachfirmen oft in Ihrer Nähe
- umfangreiche Gewährleistung

Nachteile

- Anbieter ist an sein System gebunden
- manchmal eingeschränkte Gestaltungsfreiheit

Bionova

Kontaktadresse

Bionova Natur Systeme
Dipl.-Ing. Rainer Grafinger
St.-Nikolaus-Straße 2
D - 85232 Bergkirchen

Tel. + 49 (0) 81 31 / 35 47 03
Fax + 49 (0) 81 31 / 35 47 04

BueroGrafinger@aol.com
www.bionova.de

Seit 1988 beschäftigt sich Gerhard Brandlmaier mit der Entwicklung von Schwimm- und Badeteichen. Als Geschäftsführer einer österreichischen Dichtungsfirma gründet er schließlich die Firma Bionova. Da es zu dieser Zeit noch wenig Erkenntnisse über künstliche Badegewässer gab, entwickelte Gerhard Brandlmaier sein eigenes System. Großen Wert legte er auf sanft durchströmte Bodenfilter. Im Jahr 1991 entstand nach diesem Vorbild, in Zusammenarbeit mit Richard Weixler, der erste kommunale Schwimmteich in Herzogsdorf/ Oberösterreich. Eine entscheidende Weiterentwicklung fand acht Jahre später statt, als die Zweikammerbauweise und die Rinnentechnologie erstmals am Markt eingesetzt wurden. Die Planungsbüros Grafinger und Brandlmaier sind nach eigenen Angaben Marktführer im Bereich öffentliche Naturbäder in Deutschland. Daneben vergibt Bionova Partnerlizenzen an Garten- und Landschaftsbaubetriebe. Momentan sind 32 Partner in und außerhalb Europas angeschlossen. Die Entwicklungsabteilung von Bionova ist in Wels/ Oberösterreich beheimatet. Im Jahr 2003 übernahm Rainer Grafinger die Markenrechte. Rainer Grafinger ist ebenfalls ein Gründungsmitglied und der Präsident der DGfnB. Bionova unterscheidet fünf Bautypen, die je nach Platzangebot, persönlichen Wünschen und Kostenrahmen vom Kunden gewählt werden können.

Bionova

Typ 1: Eco Bionova

Dieser Typ ist ein so genannter Eintopfteich. Die Bereiche Schwimmen und Aufbereitung sind in einem Wasserbecken eingebaut und teilen sich je zur Hälfte die Gesamtfläche. Der Filter ist gleichzeitig der Verteilerschacht und steht eingegraben im Bodenfilter der Regenerationszone. Typ 1 ist die preisgünstige Variante von Bionova für kleine Gärten.

Typ 2: Standard Bionova

Typ 2 ist die von Bionova am meisten gebaute Anlage. Er ist als Einkammerbauweise konzipiert, arbeitet zusätzlich aber mit einer Überlaufrinne. Für die besondere Wasserqualität mitverantwortlich ist die zweistufige Absonderung von Biomasse über Rinnenrost und Feinfilterzylinder. Laut Bionova hat dieser Typ ein gutes Preis-Leistungs-Verhältnis.

Typ 3: Teilweise ausgelagerte Regeneration

Der Ausgleichsbehälter wird durch einen ausgelagerten Bodenfilter ersetzt. Dadurch entstehen quasi zwei getrennte Teichbereiche. Durch die gezielte Wasseraufbereitung ist eine intensivere Nutzung des Teichs möglich. Der Wasserstand im ausgelagerten Regenerationsbereich kann sehr stark schwanken, damit können auch längere Trockenperioden überdauert werden, ohne ständig Frischwasser zugeben zu müssen. Dieser Typ benötigt etwas mehr Platz.

Typ 4: Getrennte Bauweise (Zweikammerbauweise)

Diese Bauweise überwiegt bei öffentlichen Schwimmteichen. Die Pflanzen und die Aufbereitung befinden sich ausschließlich im Regenerationsteich. Der Platzbedarf ist größer, die Reinigungswirkung muss als optimal bezeichnet werden.

Typ 5: Bionova-Pool

Er sieht aus wie ein Swimmingpool. Die Wasserreinigung erfolgt aber ausschließlich über die natürlichen Prozesse eines Schwimmteichs. Der Regenerationsteich liegt vom Schwimmbereich getrennt. Das Wasser wird zwischen den beiden Teichen hin und her gepumpt. Durch eine optimierte Wasserführung können die Reinigungsbereiche verkleinert platziert werden. Dabei kann ein Teil der Regeneration sogar unterirdisch angelegt werden. Dadurch besteht wenig Platzbedarf. Alle vorstellbaren Beckenformen sind mit diesem Typ möglich.

Bionova

Care for Pools

Die Firma Care for Pools (cfp) bietet eine breite Palette von Leistungen an, die von der Beratung über das optimale Filtersystem oder Systemelement bis hin zur Wartung und Pflege aller Teichtypen geht.
Aus dieser Vielfalt ergibt sich ein systemübergreifendes Know-how, das optimierte biologische Filtersysteme und individuelle Pflege- und Reinigungskonzepte hervorbringt.

Die Produkt- und Leistungsübersicht von cfp gliedert sich wie folgt:

- Bau, z.B. Folie, Hartschaumbausteine, Pumpen, Schläuche
- Ausstattung, z.B. Edelstahlskimmer, Scheinwerfer, Düsen
- Reinigung, Pflege und Wartung, z.B. Kartuschenfilter,

Kontaktadresse

Care for Pools
Postfach 1366
D - 34333 Hann. Münden

Tel. + 49 (0) 55 02 / 99 84 44
Fax + 49 (0) 55 02 / 99 84 40

info@care-for-pools.de
www.care-for-pools.de

Roboter

- Sanierung, z.B. Gummiradpumpen, präventive Maßnahmen
- Dienstleistung, z.B. Workshops, Seminare, Service vor Ort

Zahlreiche Gestaltungsvarianten sind in Ein- und Zweikammerbauweisen möglich. Dazu gehören der klassische Schwimmteich, die naturnahe Wellness-Oase und der moderne Naturpool. Das Filtersystem von cfp arbeitet mit vertikal durchströmten Aufbereitungsbereichen. Durch dieses biotechnische Verfahren erreicht das Filtersystem eine hohe Aufbereitungsleistung. Ergänzt wird das biotechnische Verfahren durch physikalisch-chemische Prozesse des Filtermediums und des Phosphorabsorbers. Folgende Filtervarianten oder Möglichkeiten für die Umwälzung des gesamten Wasserkörpers bietet cfp:

Low-Technik
Verteilersystem im Filter- und Regenerationsbereich, eine externe Pumpe, je eine Saug- und Druckleitung

Medium-Technik
wie Low-Technik, aber zusätzlich eine Saug- und Druckleitung, Skimmer und zusätzliche Druckleitung als freie Bahn für Druckausgleich, Bachlauf oder Ähnliches

Family-Technik
wie Medium-Technik, aber noch eine zusätzliche Pumpe, beispielsweise für die Beschickung von Einströmdüsen

Family-Technik-PS
wie Family-Technik, aber eine zusätzliche Druckleitung für Skimmer oder Ähnliches

High-Technik-Clean
wie Family-Technik, aber andere Pumpen und aufwendi-

gere Verrohrung, zum Beispiel für die Beschickung eines externen Filters für die laufende Reinigung

Auf die drei Säulen Filtersystem, Prophylaxe und Reinigung stellt cfp die Arbeit am und im Schwimmteich. Individuell werden die jeweiligen Pakete zusammengestellt. Dabei gibt es im Bereich Wasserhygiene eine große Anzahl von verschiedensten Produkten, die je nach Anwendungsbereich miteinander kombiniert werden können.

Grundprinzip: Dieses Verfahren arbeitet ohne separate Kammern. Nachdem das Wasser von der Oberfläche aus dem Schwimmbereich gepumpt wurde, wird der eine Teil des Wassers in die untersten Schichten der Filterzone gepumpt. Dort wird dieses von unten nach oben durch die Filtermedien gedrückt. Der andere Teil des Wassers wird über den Bachlauf und / oder Quellstein in den Teich zurück geleitet. Die Firma Held Teichsysteme GmbH ist im badenwürttembergischen Gemmingen ansässig. Sie ist seit rund 25 Jahren in ganz Europa tätig. Seit 1998 sind unter den Marken »TeichMeister« und »Aquaviva« rund 150 Partnerbetriebe angeschlossen. Jährlich werden mehrere 100 Anlagen der verschiedensten Schwimmteichtypen gebaut, das Lieferspektrum geht von

Care for Pools

Held Teichsysteme GmbH (»Teichmeister«, »Aqua viva«)

Kontaktadresse
Held Teichsysteme GmbH
Gottlieb-Daimler-Str. 5-7
D - 75050 Gemmingen

Tel. + 49 (0) 72 67 / 9 12 60
Fax + 49 (0) 72 67 / 6 06

info@held-teichsysteme.de
www.teichmeister.de

Held Teichsysteme GmbH,Teichmeister, Aqua viva

Teich- und Schwimmteichfolien, Pumpen, Pflanzhilfen aus Naturfasern bis hin zum TeichMeister-Filtersystem mit der »Aqua-Superton-Filtertechnik«. Die Fa. Held konzipiert und berechnet jeweils individuelle Natur-Pools, Schwimmteiche und Gartenteiche. Die »TeichMeister«- und »Aquaviva«-Partnerbetriebe sind speziell ausgebildete Garten- und Landschaftsgestalter, welche konsequent über laufende Schulungen weitergebildet werden. Durch eine kompakte, spezielle Filterzone kann diese Zone relativ klein bleiben (ca. 20% der Wasserfläche), entsprechend groß ist der Schwimmbereich. Eine spezielle Pflanzenkulisse belebt die Filterzone und den Teichrand je nach Wunsch des Bauherren und je nach Ausführung des Natur-Pools bzw. Schwimmteiches. Durch dieses System ist auch die problemlose Umsetzung einer Sanierung von stillgelegten oder sanierungsbedürftigen Swimmingpools möglich. Das System funktioniert über eine biologische Filterzone. In dieser übernehmen Mikroorganismen die Reinigung des verschmutzten Wassers, die Mikroorganismen werden dabei von den entsprechenden Wasserpflanzen unterstützt und stabilisieren den Reinigungseffekt.

Jeder Natur-Pool nach dem Teichmeister-System wird individuell nach den gestalterischen Vorstellungen sowie Bedürfnissen seiner Betreiber und der zu erwartenden Nutzung konzipiert. An Gestaltungsmöglichkeiten gibt es hierbei den geometrischen, pflegeleichten Natur-Pool bis hin zum erdmodellierten Schwimmteich. Inklusive allen Kombinationsmöglichkeiten dieser Gestaltungsformen. Hintergrund ist, dass sowohl innen- wie außenliegende Filterzonen angeboten werden, wobei der Mindestbedarf an Grundfläche des Schwimmteiches nur 25 qm betragen kann. Dieser sehr geringe Platzbedarf rührt daher, dass dieses System auch ohne einen Flachwasserbereich gebaut und damit platzsparend gearbeitet werden kann.

Grundlage des Systems ist die nachfolgende Technik:

Das Wasser wird in ständiger Bewegung gehalten. Dies geschieht über ein System von Pumpen und Rohren (Saug- und

Druckleitungen, wobei Verteilerrohre für eine Zwangsdurchströmung der Reinigungszone sorgen).

Aufbau der Reinigungszone: (oberhalb der Folienabdichtung)
Verteilereinheit, Aqua-Superton-Granulate und Sandwich-System mit verschiedenen Kiesarten.

Zusätzlich bietet die Fa. Held eine breite Palette von Pflege- und Reinigunggeräten an. Dieser Service kann selbstverständlich auch als Komplettservice von den jeweiligen Partnerbetrieben übernommen werden.

Die Firma Acqua Dolce wurde im Jahr 2002 von Dipl.-Ing. (FH) Robert Fraas gegründet. Mit dem Bau von Acqua Dolce-Badeteichen sind in Deutschland 21 Partner betraut. Im Jahr 2005 sollen Partner in der Schweiz und in Frankreich dazu kommen. Bis Ende 2004 wurden rund 35 Badeteiche, vorwiegend im deutschen Raum, gebaut.
Im Gegensatz zu den anderen Schwimmteichsystemen verfolgt die Firma Acqua Dolce einen anderen Planungsansatz. Statt wie üblich die Schwimmteiche als Miniaturlösung natürlicher Seen zu begreifen, basiert ihr System auf dem Prinzip natürlicher Quelltöpfe. Im Blautopf bei Blaubeu-

Acqua Dolce

Kontaktadresse
Acqua Dolce
Postfach 1224
D - 90002 Nürnberg

Tel. + 49 (0) 9 11 / 9 41 39 31
Fax + 49 (0) 9 11 / 9 41 39 32

info@acquadolce.de
www.acquadolce.de
www.naturbad.de

ren, in Baden-Württemberg, beispielsweise drückt sauberes und nährstoffarmes Wasser durch einen natürlichen Schlot nach oben und füllt einen Quellsee. Die tiefblaue Färbung entsteht durch das auch in großer Wassertiefe klare Wasser. Organische Substanzen wie Laub und Schmutz können sich nicht am Grund des Sees absetzen, da sie durch die Strömung automatisch an die Wasseroberfläche geschwemmt werden.

Dieses natürliche Prinzip wurde auf den Gartenbereich übertragen. Die an die Oberfläche geschwemmte organische Substanz wird abgesaugt. Das gereinigte Wasser verteilt sich über Bodeneinströmdüsen flächig am Grund des Schwimmteichs, bevor es aufsteigt und das Oberflächenwasser per Überlauf verdrängt. Der Überlauf mündet in einem funktional getrennten Reinigungsteich. Hier erfolgt die vertikale Reinigung des Wassers, das danach zurück in den Schwimmbereich gepumpt wird. Das Substrat der Reinigungszone besteht aus einem nährstoffarmen Spezialkies, der ähnlich wie bei einem Sandfilter rückgespült werden kann. Durch das von unten einströmende Wasser ergibt sich für den Badenden keinerlei Temperaturunterschied. Um die Badesaison zu verlängern, lässt sich auf Wunsch im Rohrleitungssystem auch ein Wärmetauscher einbauen.

Für dieses Zweikammersystem ist eine Pumpe mit einer Leistungsaufnahme von 0,37 kW/h ausreichend. Kleinere Teiche wie Sitzteiche und Saunateichbecken werden ab 15 Quadratmeter angeboten, Schwimmteiche ab 40 Quadratmeter. Die Wassertiefe unterliegt keiner technisch bedingten Beschränkung. Durch den integrierten Teichsauger wird ein zusätzliches Absauggerät überflüssig. Im Frühjahr sollte eine Grundreinigung erfolgen. Ansonsten fallen die üblichen Pflegearbeiten an.

Im Jahre 1987 wurde die Bio Teich AG gegründet. Sie hat bisher knapp 500 Anlagen in ganz Europa gebaut, darunter auch vier öffentliche Schwimmteiche. In der Schweiz arbeiten 31 Partnerfirmen mit diesem System, im europäischen Ausland sind es 41.

Der Schwimmteich, der Sammelschacht und der Klärteich sind drei getrennte Bereiche (Dreikammer-Methode). Das Wasser befindet sich in einem ständigen Kreislauf. Gröbere Schmutzteile gelangen durch ein Bodenrohr in einen Sammelschacht, der weniger als einmal im Jahr ausgesaugt wird.

Die Firma Bio Teich unterscheidet vier verschiedene Typen von Schwimmteichen.

Typ »Natur pur«

Der Badeteich soll eine Kopie der Natur sein. Er hat eine Schwimmzone und eine natürliche Filterzone. Für einen gleichmäßigen Wasserkreislauf sorgt eine Umwälzpumpe mit geringer Leistungsaufnahme.

Typ »Standard«

Hier sind die Teichzonen klar getrennt. Ein bis zwei Skimmer und eine Pumpen- und Vorfiltereinheit sind die technische Grundausstattung. Die Schwimmzone muss mindes-

Bio Teich AG

Kontaktadresse

Bio Teich AG
Le Grand Paquier
CH - 1373 Chavornay

Tel. + 41 (0) 24 / 4 42 88 44
Fax + 41 (0) 24 / 4 42 88 45

info@bioteich.ch
www.bioteich.ch

tens 1,5 Meter tief sein. Die Pflanzenklär- oder Filterzone hat eine ausgebaute Filterleistung.

Typ »Classic«

Dieser Typ ist der meistgebaute Schwimmteich der Bio Teich AG. Er besteht aus Schwimmzone, Pflanzenfilter und Bachlauf. Der Technikeinsatz bewegt sich, was Pumpen, Vor- und Feinfilter betrifft, auf mittlerem Niveau.

Typ »De Luxe«

Die modernsten Elemente der Firma Bio Teich vereinigt der Typ »De Luxe« in sich. Als Teichtechnik stehen verschiedene Pumpen, Vor- und Hauptfilter, Skimmer sowie Reinigungs- und Absaugfilter zur Verfügung.

Die Firma Bio Teich baut keine Einkammerteiche, ihre Teiche sind als Zwei- und Mehrkammersysteme konstruiert. Die Flächengröße der Teiche beträgt mindestens 40 Quadratmeter. Der Klärbereich des Pflanzenfilters besteht aus einem Kies-Sand-Zeolith-Filter, der zwangsweise durchströmt wird. Der Wasserkreislauf, die Sauerstoffregulierung und die Filterung sind sowohl über natürliche als auch über technische Faktoren möglich. Das heißt, es können sowohl Bachläufe als auch Sprudel- und Sauerstoffdüsen in das System integriert werden.
Eine der Besonderheiten dieses Systems ist der so genannte Carbonator. Er besteht aus Rohren, die außerhalb des Teichs verlegt werden und über die Bodenluft angesaugt wird. Diese hat eine andere chemische Zusammensetzung als atmosphärische Luft. Das Einleiten der Bodenluft in den Teich bewirkt eine Senkung des pH-Werts.
Die Firma Biotop Landschaftsgestaltung ist mit den Marken Biotop Natural Pool und Swimming-Teich am Markt vertreten. Gegründet wurde die österreichische Firma im Jahr 1984, acht Jahre später erfolgte die Ausweitung auf Deutschland und die Schweiz, 2002 kamen die Niederlande

und Frankreich hinzu. Insgesamt sind 34 Partner im Franchising-System angeschlossen. In jährlichen Partnertreffen der Franchise-Nehmer werden die Swimming-Teich-Mitarbeiter geschult. Die Philosophie der Firma Biotop Landschaftsgestaltung heißt »Mit der Natur arbeiten, natürliche Regelkreise unterstützen und nutzen, aber nicht durch Technik ersetzen«. Angestrebt wird ein Minimum an Technikeinsatz. Inzwischen kann auf Teiche verwiesen werden, die vor mehr als 20 Jahren ohne jegliche Technik gebaut wurden und noch heute funktionieren.

Mit dem Biotop System lassen sich ab einer Fläche von 40 Quadratmetern Schwimmteiche bauen. Diese bestehen in der Regel aus Schwimmbereich, Regenerationsbereich, Pflanzenfilter, Oberflächenabsaugung, Carbonator und Reinigungsset. Als zusätzliche Bauteile können Bachlauf, Quellstein, Fontäne, Sprungbrett und Sprungstein gewählt werden.

Das Substrat im Regenerationsbereich besteht aus einem nährstoffarmen Bodensubstrat. Die Abtrennung zwischen Schwimm- und Regenerationsbereich kann aus Betonwänden, Winkelelementen aus Recycling-Kunststoff oder aus

Swimming-Teich, Biotop Natural Pool

Kontaktadresse

Swimming-Teich
Biotop Landschaftsgestaltungs GmbH
Hauptstr. 285
A - 3400 Klosterneuburg - Weidling

Tel. + 43 (0) 22 43 / 3 04 06
Fax + 43 (0) 22 43 / 3 04 06 22

office@swimming-teich.com
www.swimming-teich.com

Swimming-Teich, Biotop Natural Pool

einer modellierten Erdböschung bestehen. Dabei werden die Systembestandteile im Wasserkreislauf über einen »Allround-Pumpenschacht« betrieben.
Eine einzige Pumpe kann saugseitig Pflanzenfilter, Skimmer und Absauger bedienen und druckseitig Bachlauf, Quellstein und Fontäne betreiben. Auf diese Weise werden die Stromkosten auf einem niedrigen Niveau gehalten.
Das jährliche Absaugen des Schwimmbereichs kann mit dem integrierten Reinigungsset erfolgen. Die Reinigung der Regenerationsbereiche wird alle vier bis fünf Jahre notwendig und von allen Partnerfirmen angeboten.

Ecopool

Kontaktadresse
ECOpool GmbH
Lohstr. 1
D - 65510 Hünstetten

Tel. + 49 (0) 61 26 / 13 13
Fax + 49 (0) 61 26 / 36 96

ecopool@t-online.de
www.ecopool.de

Die Firma Ecopool entstammt der Franchise-Firma für Beregnungsanlagen Eco Rain.
Ecopool bietet vorwiegend Zweikammersysteme an. Der Schwimmbereich kann vom Klärbereich durch eine Folienaufkantung, Holz, Edelstahl oder Naturstein abgetrennt werden. Mit dem Ecopool-System sind Teiche ab einer Größe von 60 Quadratmetern Gesamtwasserfläche realisierbar, davon entfallen rund 50 Prozent auf die Schwimmfläche. Die Wassertiefe im Schwimmbereich sollte mindestens 1,5 Meter betragen.

Ecopool

Das Schwimmteichsystem der Firma Ecopool kombiniert verschiedene Arten der Teichtechnik miteinander. Das Wasser wird dreifach abgesaugt: aus dem Kiesfilterkörper, über die Oberflächenabsaugung und mit den Oberflächenskimmern. Ein Düsensystem drückt das Wasser wieder in den Teich zurück. Die Pumpentechnik besteht aus zwei trocken aufgestellten Pumpen. Das Wasservolumen wird mehrmals am Tag durch Längs- und Querströmung umgewälzt und dem Kiesfilter zur Reinigung zugeführt.
Für den Aufbereitungsbereich werden ausschließlich Kiese in abgestuften Korngrößen verwendet. Bachläufe, Sprudelsteine und Ähnliches können integriert werden, sind aber technisch gesehen nicht notwendig.

Filtersystem Hydrobalance

Der österreichische Ingenieur Franz Kubacek entwickelte ein Filtersystem aus speziell behandelter Steinwolle. Die flexiblen Elemente können je nach Teichgröße mehrfach aneinander gekoppelt werden. Sie sind ideal für wartungslose und nützlingsschonende Skimmerteiche bis zu einer Größe von 200 Quadratmetern. Zusätzlich lassen sie sich in den Randzonen des Teichs einbauen, in denen sie mit energiesparenden Luftpumpen betrieben werden können.

Kontaktadresse

Hydrobalance Vertriebs GmbH
Ing. Franz Kubacek
Hutweidengasse 44
A - 1190 Wien

Tel. + 43 (0) 1 2 90 57 14
Fax. + 43 (0) 1 2 90 57 90

kubacek@landschaftsgaertner.at
www.hydrobalance.at

Über ein mit Dränagegewebe ummanteltes Ansaugrohr wird eine speziell behandelte Mikrofasersteinwolle gewickelt und mit einem Wirrgelege aus Polypropylen verschweißt. Durch die Anordnung der Ansauglöcher entstehen im Filter aerobe und anaerobe Zonen. Die große Oberfläche der dauerhaft durchströmten Steinwolle ist ein optimaler Träger für Mikroorganismen, die aufgrund der unterschiedlichen Bedingungen im Filterinneren in hoher Artenvielfalt vorkommen. Automatisch legt sich eine Schmutzdecke um das Filtermedium, an der eine effektive Mineralisierung organischer Substanzen erfolgt.

Dieses System eignet sich sowohl für den Naturschwimmteich als auch für architektonische Anlagen. Es kann in Neuanlagen genauso verwendet werden wie bei Teichsanierungen.

Die Systemanbieter

Viele Firmen haben sich darauf spezialisiert, einzelne Komponenten zu bauen und diese in Kombination mit anderen Elementen zu einem Schwimmteich zu entwickeln. Als Komponenten kommen in Frage: eine bestimmte Teichdichtung, eine besondere Filterart oder ausgefallene Designelemente.

Vorteil

- ◇ Fachwissen
- ◇ Erfahrung im Teichbau
- ◇ ein Teil wird vorgegeben, Sie erbringen den anderen Teil
- ◇ Kostenersparnis
- ◇ Zeitersparnis

Nachteil

- ◇ Beschränkung in der Gestaltung
- ◇ nachbestellte Bauteile können Anpassungsprobleme machen
- ◇ zum Teil kein Vor-Ort-Service
- ◇ keine Gewährleistung für das Gesamtprojekt

Schawohl

Kontaktadresse
Georg Schawohl GmbH
Lochberg 6 - 8
D - 83135 Schechen

Tel. + 49 (0) 80 31 / 59 96 02
Fax + 49 (0) 80 31 / 59 96 03

info@badeteiche-schawohl.de
www.badeteiche-schawohl.de

Der Biotechniker Georg Schawohl machte sich 1986 mit seinem eigenen Badeteich- und Biofiltersystem selbstständig. Auf seinem 15.000 Quadratmeter großen Betriebsgelände betreibt er mehrere Badeteich-Schauanlagen mit dem Aqua-Clear-Filtersystem. Das Biofiltersystem entzieht dem Teich Nitrat und Phosphat-Ionen und nimmt damit den Algen die Lebensgrundlage. Über einen oder mehrere Skimmer wird das Teichwasser angesaugt, dessen grobe Verunreinigungen, wie etwa Laub, in einem Schmutzsieb hängen bleiben. Während das Teichwasser den Skimmer durchläuft, wird es mit Sauerstoff angereichert und anschließend über einen Ausströmer durch das Aqua-Clear-Granulat in das Filterbecken gepumpt. Das Granulat besteht überwiegend aus mit speziellen Bakterienstämmen geimpften Natur-Zeolith. Damit die Bakterien genügend Sauerstoff für die Umsetzungsprozesse zur Verfügung haben, wird das Substrat mit einer speziellen Pumpe durchlüftet. In der Pflanzenklärzone wird das dreischichtige Aquaplant-Vital Spezialsubstrat eingebaut. Das zu reinigende Teichwasser gelangt über ein Schlauchsystem direkt an die Pflanzenwurzeln.

Die Grundidee der Schawohl GmbH ist, dass Bakterien, die belastenden Nährstoffe besser abzubauen vermögen als Pflanzen. Aufgrund des geringen Platzbedarfs des Aqua-Clear-Filters stehen für die Schwimmzone rund 80 Prozent der Gesamtfläche des Teichs zur Verfügung. Mit diesem Filtersystem sind Teichgrößen ab 30 Quadratmetern realisierbar. Benötigt werden die folgenden Technikmodule: eine Pumpe, ein Skimmer, 50-Meter-Druckschlauch, ein Pumpenschacht, 18 Meter Ausströmer und Schlammfang, vier Quadratmeter Aqua-Clear-Substrat (Körnung 1-5 mm und 10-20 mm) und ein Kleinkompressor. Sollten Sie Fische einsetzen wollen, werden zusätzlich eine UVC-Lampe und ein Mehrkammer-Außenfilter mit Screenex-Sieb eingebaut. Die Wassertiefe im Schwimmbereich beträgt 1,50 bis 2,0 Meter, in der Flachwasserzone bis zu 80 Zentimeter. Als Teichdichtung steht eine Ethylen-Propylen-Dien-Monomer (EPDM)-Kautschukfolie zur Verfügung, die auf einem dicken Geovlies verlegt wird.

Aufgrund der Technikkomponenten benötigt der Teich wenig Pflege. Alle fünf bis zehn Jahre sollte das Teichwasser gewechselt werden.

Schawohl

Teich-i-tekten

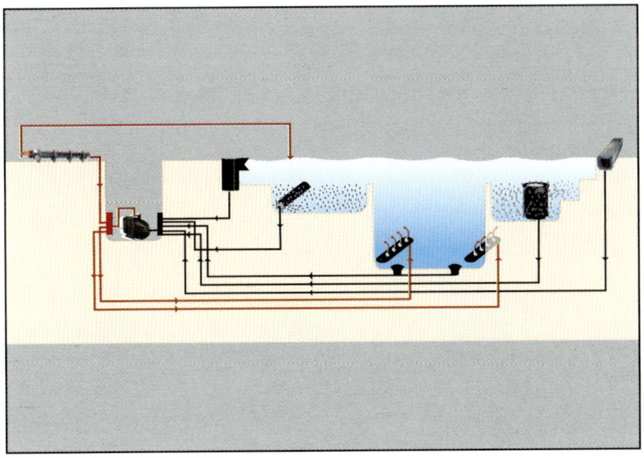

Die Firma Teich-i-tekten Michael Meßner KG besteht seit 2001. Sie vertreibt hochwertige Teichtechnik und Teichbauprodukte an den deutschen Fachgroß- und Einzelhandel. Das Lieferprogramm umfasst die Bereiche Teichbau, Fil-

Kontaktadresse
teich-i-tekten M. Meßner KG
Dorfstr. 147
D - 21365 Adendorf/Erbstorf

Tel. + 49 (0) 41 31 / 24 98 10
Fax + 49 (0)41 31 / 78 91 49

Info@teich-i-tekten.de
www.teich-i-tekten.de

tertechnik, Verbindungstechnik, Schwimmteichtechnik und Wasseraufbereitung.

Die Teich-i-tekten sind auf den Bereich EPDM-Folie und Verarbeitungsprodukte spezialisiert. EPDM ist ein gegen UV-Strahlung beständiger Synthetikkautschuk von einer hohen Dehnfähigkeit. Die Folie verändert sich auch nach Jahren nicht, sodass spätere Teichveränderungen durch Ankleben von neuen Folienstücken kein Problem sind. Das Gewicht der Folie beträgt bei 1,15 Millimeter Stärke 1,38 kg/m². Die Firma gibt auf ihre EPDM-Folie eine Materialgarantie von 20 Jahren. Aufgrund des geringen Gewichts sind auch größere Folienflächen verhältnismäßig leicht verlegbar.

Zur Einfassung der Teiche steht die Produktlinie »Ecosys« zur Verfügung. Hierbei handelt es sich um Pfähle und Randbänder aus Recycling-Kunststoff. Mit ihnen lässt sich die am Teichrand benötigte Kapillarsperre erstellen.

Im Bereich der Filtertechnik gibt es zwei Reihen, den Delta-GfK-Reihenfilter und den Center-Vortex-Mehrkammerfilter. In beiden Filterreihen wird das verschmutzte Teichwasser mit verschiedenen Filtermedien auf mechanische und biologische Art in Teichkammern gereinigt. Die Teich-i-tekten bieten dazu passende Bodenabläufe, Einbauskimmer, Überlaufrinnen, vertikale Sammelschächte, horizontale Ansaugrohre, Schwimmteichpumpen in Pumpenkammern, UVC-Strahler und Einströmleisten an. Die Meßner-Pumpen besitzen ein TÜV-Zertifikat für den Einsatz an Schwimm- und Badeteichen und verfügen über eine hohe Energieeffizienz.

In der Wasseraufbereitung arbeiten die Teich-i-tekten mit der Firma Lavaris Lake zusammen, sodass ein großes Programm an Teichwasserzusätzen, Wasseranalysen und dergleichen zur Verfügung steht.

Die freien Anbieter

Freie Anbieter sind oftmals spezialisierte Garten- und Landschaftsbaufirmen, die bereits seit Jahren Schwimmteiche bauen und betreuen. Einige freie Anbieter haben vorher Koiteiche gebaut und verfügen daher über einschlägige Erfahrungen, was Fische in Teichen anbelangt.
Lassen Sie sich unter Angabe des Baujahrs Fotos von abgeschlossenen Projekten zeigen. Da ein Teich zwei bis fünf Jahre braucht, bis er sich stabilisiert hat, werden Probleme beim Betrieb von Schwimmteichen oft erst mit den Jahren sichtbar. Und prüfen Sie bei der Gelegenheit auch, ob Ihnen die Ausführung und die Gestaltung zusagen.

Vorteile

- freie Gestaltung
- Änderungen im System und in der Anlage jederzeit möglich
- sehr persönliche Bauausführung, der Baumeister ist »vor Ort«
- umfangreiche Gewährleistung für das Gesamtprojekt

Nachteile

- bei Komplettausführung höhere Kosten als bei Selbstbau
- manchmal begrenzte Zahl von Referenzprojekten

Nachfolgend finden Sie eine Auswahl an freien Anbietern und ihrer Systeme.

Wassergärten - R. Weixler KEG

Kontaktadresse

Fa. Wassergärten - R. Weixler KEG
Aichbergstr. 48
A - 4600 Wels

Tel. + 43 (0) 72 42 / 6 66 92
Fax + 43 (0) 72 42 / 66 69 24

office@weixler.at
www.weixler.at

Richard Weixler ist einer der Pioniere im Schwimmteichbau. Er plant und baut mit seiner Firma Wassergärten seit 1986 Biotope und Schwimmteiche in Europa, Russland und Puerto Rico. Bis heute hat er rund 700 Anlagen gebaut. Seine Firmenphilosophie lautet: »Lebensräume so gestalten, dass sie eine Qualität für Mensch, Tier und Pflanze haben - das Handeln soll sowohl ökologisch als auch wirtschaftlich sinnvoll sein.« Getreu diesem Motto kauft die Firma Wassergärten für jeden verkauften Quadratmeter Teichfläche zehn Quadratmeter Regenwald in Costa Rica.

Richard Weixler unterscheidet fünf Schwimmteichtypen.

Typ 1: Naturnaher Schwimmteich ohne Technik

Etwa 50 bis 70 Prozent der Gesamtwasserfläche sind mit Seerosen, Sumpf- und Unterwasserpflanzen bepflanzt. Sowohl Pflanzen als auch Tiere sorgen für eine gute Wasserreinigung. Dieser Typ wird seit rund 20 Jahren erfolgreich gebaut.

Typ 2: Schwimmteich mit wenig Technik

Bei dieser Bauart werden rund 25 Prozent des Wasservolumens pro Tag durch eine einfache Umwälzpumpe bewegt. Hierfür können auch Solarpumpen verwendet werden. Zusätzlich wird ein kleiner Wasserfall, ein Quellstein oder eine kleine Fontäne installiert. Diese Elemente lassen Strömung entsteht und sorgen so für eine bessere Verteilung des Sauerstoffs und der Nährstoffe im Teich. Die Wasserreinigungszone nimmt 50 Prozent der Teichfläche in Anspruch und ist bepflanzt.

Typ 3: Schwimmteich mit mittlerer Technik

Rund 80 Prozent der Kunden entscheiden sich für diesen Typ. Die Schwimmfläche nimmt 60 Prozent der Gesamtwasserfläche in Anspruch und die Pflanzenzone 40 Prozent. Dieser Teichtyp benötigt bis zu zwei schwimmende Skimmer sowie eine Pumpe mit einer Leistung von 15.000 l/h. Die Pumpe läuft täglich sechs bis zwölf Stunden und erzeugt eine Strömung in Richtung Skimmer. Auf diese Weise bleibt die Wasseroberfläche sauber.

Typ 4: Schwimmteich mit viel Technik

Bei diesem Typ ist ein Drittel der Teichfläche bepflanzt. Eine rund doppelt so starke Pumpe wie bei Typ 3 erzeugt eine starke Strömung. Die auf der Wasseroberfläche treibende Biomasse wird entweder von der Überlaufrinne oder vom Schwimmskimmer eingesammelt. Über einen Fein- oder Mikrofaserfilter gelangt das Wasser durch die Düsen zurück in den Teich. Im Regenerationsbereich befindet sich ein zusätzliches Filtersystem, das aus Dränagen und zum Teil anderen Filtermedien besteht.

Typ 5: Naturpool

Hier sind die Regenerationszone und die Schwimmzone getrennt. Zusätzliche Biofilter klären das Wasser und unterstützen die biologischen Abläufe. Die Reinigung kann aber auch von einem Bachlauf mit integrierter Pflanzfläche übernommen werden.

Teich & Garten

Kontaktadresse

Teich & Garten
Carsten Schmidt
Bucherfelder Weg 1a
D - 53560 Vettelschoß

Tel. + 49 (0) 26 45 / 97 20 78
Fax + 49 (0) 26 45 / 97 20 87

www.teichundgarten.de
info@teichundgarten.de

Der Gärtnermeister Carsten Schmidt baut jährlich 15 bis 20 Schwimmteiche unterschiedlicher Größe, von »Natur pur« bis hoch technisiert. Sein Grundsatz ist, die biologischen Reinigungsvorgänge durch Zooplankton, Pflanzen oder Mikroorganismen zu fördern.

Carsten Schmidt baut sein Techniksystem in der Regel so auf, dass das Teichwasser über Rundskimmer oder bei Mehrkammersystemen mittels einer Rinne plus Überfallwehr angesaugt wird. Um eine Strömung zu erzeugen, wird das Wasser oberflächig durch die Uferzone zurückgeführt. Bei aufwendigeren Varianten setzt er durchströmte Kies- und Substratfilter ein.

Eine Besonderheit des Systems ist die Uferzone. Sie wird in Teilbereichen mit einem Verteilersystem von hinten angeströmt. Dadurch erfolgt eine gleichmäßige Verteilung des Rohwassers im Filterkörper. Dieser besteht aus mineralischem Filtermaterial, dem je nach Füllwasserqualität ein Kalkgranulat oder ein Material auf Eisenbasis zugesetzt wird. Bepflanzt ist die Zone mit Iris-Arten, Binsen und Acorus.

Diese Repositionspflanzen kommen mit der Wasserbewegung im Wurzelbereich gut zurecht und haben, was die Wassernährstoffe angeht, eine hervorragende Reinigungsleistung. Der andere Bereich der Pflanzenzone ist mit

Schwimmpflanzen, Seerosen und Unterwasserpflanzen besetzt. Hier ist das Wasser ohne Strömung. Die Pflanzen bedanken sich für die förderliche Lebensgrundlage mit einer guten Reinigungsleistung.

Ralf Glenk ist ein Autodidakt, was das Thema Schwimmteich anbelangt. Er bietet ein System zum Selbstbau an, das bereits mehrere hundertmal verkauft wurde.
Sein Anschauungsteich besteht aus Skimmerschacht, Vorfilter, Wasserfall, Bachlauf, Sickerschacht, Verteiler, Dränagerohren und Einlassglocke.
Einzelne Bauteile sind kostengünstig aus einfachen Baumarktmaterialien zusammengesetzt, so zum Beispiel ein Vorfilter aus einer umgebauten 300-Liter-Regentonne. Die Kosten je Quadratmeter Wasserfläche liegen laut Ralf Glenk bei 50 Euro, wenn das Projekt als Einkammersystem und komplett im Eigenbau erstellt wird.
In einer 86 Seiten umfassenden Beschreibung schildert er unterhaltsam, seine Erfahrungen im Schwimmteichbau und wie sein eigener Teich in der ersten Zeit auf biologische Veränderungen reagiert hat. Auf seiner Homepage bietet Ralf Glenk eine Plattform für alle, die sich zum Thema Schwimmteich austauschen möchten.

www.schwimmteich-selbstbau.de

Kontaktadresse

Schwimmteich-Selbstbau
Ralf Glenk
Wilhelmstr. 8
D - 32602 Vlotho

Tel. + 49 (0) 57 33 / 7 75 55
Fax + 49 (0) 57 33 / 87 75 56

ralf.glenk@schwimmteich-selbstbau.de
www.schwimmteich-selbstbau.de

Re-Natur

Kontaktadresse
Re-Natur
Charles-Ross-Weg 24
D - 24601 Ruhwinkel

Tel. + 49 (0) 43 23 / 9 01 00
Fax + 49 (0) 43 23 / 90 10 33

info@re-natur.de
www.re-natur.de

Die Firma Re-Natur bietet das gesamte Sortiment für den Schwimmteichbau inklusive Service an. Von der Folienlieferung, dem Folieneinbau über die Substratmischungen bis hin zu einer großen Auswahl an Schwimmteichpflanzen kann man hier alles bekommen.
Als Besonderheit sei auf den Onlineshop (mit Teichplaner) und das Onlineforum verwiesen. Des Weiteren kann ein Leckagesuchdienst angefordert werden.

Die alt eingesessene Meier Gartenbau AG arbeitet mit einem besonderen Verfahren der Teichabdichtung. Durch ein spezielles Anspritzverfahren für Beton wird eine vergleichsweise freie Teichgestaltung möglich. Drei Lagen Spritzbeton sorgen dafür, dass der Teich dicht ist und dass es auch in Bezug auf die Statik keine Probleme gibt.

Auf dem Firmengelände kann ein Musterteich besichtigt werden, der sich im Laufe der Jahre mit einer schönen Unterwasser-Rasenalgenpatina überzogen hat.

Meier Gartenbau AG

Kontaktaderesse

Meier Gartenbau AG
Alte Landstr. 110
CH - 8302 Kloten/Egetswil

Tel. + 41 (0) 1 8 14 38 90
Fax + 41 (0) 1 8 14 39 38

meiergala@natura-pool.ch
www.natura-pool.ch

teich-paradiese GmbH

Kontaktadresse
teich-paradiese GmbH
Siglershofer Str. 8
D - 74597 Stimpfach-Weipertshofen

Tel. + 49 (0) 79 67 / 70 25 67
Fax + 49 (0) 79 67 / 70 25 68

seyerle@web.de
www.teich-paradiese.de

Die Firma Teichparadiese hat sich auf die Sanierung von Schwimm- und Badeteichen spezialisiert. Ihr Chef heißt Guido Seyerle und ist der Autor dieses Buches. Seine detaillierte Kenntnis aller in Europa gängigen Systeme ermöglicht eine unabhängige, kompetente Beratung und Planung. Da die Firma Teichparadiese und ihre Mitarbeiter über jahrelange Erfahrungen im Koiteichbau verfügen, sind auch stark verschmutzte Schwimmteiche für sie kein Problem.

Die teich-paradiese GmbH bietet für Gärtnerkollegen und Privatkunden verschiedene Bausätze an, die es als Mitbausatz oder als Selbstbausatz gibt.

Bei den Mitbausätzen entscheidet der Besteller eines Schwimmteichs, welche Arbeiten er selbst ausführen möchte und welche Arbeiten die teich-paradiese GmbH ausführen soll. In der Regel werden die Folienarbeiten, der Einbau der Teichtechnik, das Einbauen des Reinigungssubstrats und die Bepflanzung durch die teich-paradiese GmbH ausgeführt. Den Rest der Arbeiten übernimmt der Schwimmteichbesteller.

Bei den Selbstbausätzen werden alle Arbeiten vom Besteller des Schwimmteichs selbst ausgeführt, über eine Hotline erfolgen Anleitung und Beratung.

Entstehung eines Schwimmteichs – Schritt für Schritt

Die Bauphase

Sie haben sich entschlossen, Ihren Schwimmteich zu bauen. Nicht mehr lange und Sie werden in herrlich weiches Wasser springen, Ihren Kindern beim Baden zu sehen und sich bei einem Glas Rotwein an der Natur erfreuen.

Wie bei jedem Bau wird es ein paar Problemchen geben, die Sie schnell vergessen haben, wenn das fertige Produkt erst einmal vor Ihnen liegt.

Baustellenorganisation

Wetter

Bei gutem Wetter gelingt alles besser. Aber nicht nur die Arbeiten gehen schneller voran, auch Bodenverdichtungen können vermieden werden. Wenn bei Regenwetter schwere Maschinen über den Gartenboden fahren, kann es zu Verdichtungen bis zu einem Meter Tiefe kommen. Diese Schäden im Bodengefüge lassen sich nicht wieder beheben. Wo Bodenverdichtungen sind, kümmern die Pflanzen und das Wasser fließt schlecht oder überhaupt nicht ab. Bitte berücksichtigen Sie bei Bodenarbeiten die entsprechenden DIN-Vorschriften, hier vor allem DIN 18300 ff.

Auch die Folie ist bei Sonnenschein leichter aufzubringen. Die schwarze EPDM-Folie beispielsweise wird schnell weich und dehnbar, sodass sie sich leichter an die Teichform anpassen lässt.

Wenn Sie Pech haben, stürzen Ihre Teichwände bei ungünstigem Wetter durch eindringende Feuchtigkeit ein. Oder Sie müssen Ihre Teichgrube nach einem zweitägigen Dauerregen erst einmal wieder leer pumpen, weil der Teich bereits halb voll ist, Sie die Arbeiten an der Grube aber noch nicht abgeschlossen haben. Und wenn der Teich wieder leer ist, fließt noch Tage später Wasser aus den Wänden nach. Bis Sie die Arbeiten wieder aufnehmen können, vergehen also nochmals einige Tage.

> ▷ **Tipp**
>
> Für den Schwimmteichbau eignen sich die Monate März bis September am besten, hier vor allem die Sommermonate.

Nach vier bis fünf Tagen konzentrierter Arbeit am Teich sind Sie, was die weiteren Arbeiten betrifft, einigermaßen wetterunabhängig. Da bis dahin die Folie eingebracht und ein eventueller Bodenablauf verklebt ist.

Geländeaufnahme

Zunächst sollten Sie Ihr Gelände einmessen. Dabei ist es egal, ob Sie modern mit optischen Geräten oder althergebracht mit Schnur, Wasserwaage und Meterstab arbeiten.

Stellen Sie fest, wie lang und wie breit Ihr Grundstück ist. Wie viel Gefälle hat es? Und wie fügt sich Ihr Teich möglichst harmonisch ins Gesamtbild ein? Wichtig ist, dass Sie alles schriftlich festhalten. Und sei es auch nur als handschriftliche Skizze. Im weiteren Bauablauf kann sie einmal wertvoll sein.

Helfer

Wenn der Plan für Ihren Schwimmteich vor-

> **Tipp**
>
> Sie sollten für Ihren Teich auf jeden Fall eine niedrige Geländestelle wählen.

liegt und die Material- und Maschinenbedarfsliste erstellt ist, geht es darum die Arbeitsschritte zu organisieren.

Sie haben sicher einige Freunde, die bereits Erfahrungen auf dem Bau vorweisen können. Die größeren Maschinen, wie einen Bagger und einen Vibrationsstampfer, können Sie bei einem Baumaschinenvermieter ausleihen. Die anderen Werkzeuge und Kleingeräte stehen sicherlich bei Ihnen oder einem Ihrer Freunde in der Werkstatt.

Schritt für Schritt zum ersten Bad

Aushub

Sie haben mit Sand, Kalk, per Sprühfarbe oder Ähnlichem die genaue Lage Ihres Teiches bestimmt. Nun muss das Loch mit einem Bagger ausgehoben werden.

Vielen Baggerfahrern fällt es leicht eine Baugrube für ein Haus auszubaggern, sie tun sich aber recht schwer mit dem Ausbaggern eines Teichs. So wie die Pflanzenzone und die Flachwasserzonen ausgebaggert werden, so wirken sie später auch im Teichbild.

Dadurch dass sich der Aushub auflockert, werden aus rund 100 Kubikmetern berechnetem Aushubvolumen schnell 130 bis 140 Kubikmeter Erde. Das sind rund 250 Tonnen

> **Tipp**
>
> Sorgen Sie dafür, dass nicht zu viel ausgebaggert wird. Alles, was abgebaggert ist, lässt sich äußerst schwierig wieder auffüllen und verdichten.

Erdaushub - eine Menge, die sich nicht so einfach von Hand bewegen lässt.

Beginnen Sie mit dem Aushub dort, wo die Baustelle am schwierigsten zu erreichen ist. Haben Sie beispielsweise vor, Ihren Teich am äußersten Ende des Grundstücks zu platzieren, beginnen Sie genau dort bis zur erforderlichen Tiefe zu graben. Dann arbeiten Sie sich weiter in Richtung Baustellenausfahrt vor. Dabei ist es besser, die anfallende Erde mit dem Bagger einmal umzusetzen, anstatt später einige Kubikmeter per Hand ausgra-

Lage für Lage wird die Teichgrube ausgehoben. Der Garten sieht vorübergehend aus wie eine Erdwüste.

Der Bodenablauf bei einer EPDM-Folie muss sorgfältig eingeklebt werden.

Sicherheit bei der Verrohrung bieten integrierte Zughähne

ben zu müssen, nur weil Sie mit dem Bagger nicht mehr in die hintere Grundstücksecke kommen.

Rohrleitungen und Technik

Vergessen Sie nicht die Technik, bevor Sie die Teichfolie aufbringen. Rohre für den Bodenablauf und für den Skimmer müssen als Leitungsgraben unter der Folie eingebaut werden. Am besten Sie verlegen die Rohre in einem Sandbett, beachten die Rohrleitungswinkel und richten sich, was die Durchmesser anbelangt, nach dem Rohrleitungsplan. Machen Sie bitte Fotos und halten Sie Ihren Rohrleitungsplan stets auf dem Laufenden. Es ändert sich während der Bauarbeiten ja so einiges ...

Und denken Sie an einen Notüberlauf, der von der Seite eindringendes Niederschlagswasser und überschüssiges Regenwasser abführt. Auffangen lässt sich das Wasser in einer um den Teich laufenden Dränageleitung. Legen Sie, falls Technik vorgesehen ist, eine Extrakammer an. Dort stellen Sie die Pumpen leicht zugänglich für die Wartungsarbeiten auf. Und sollten Sie eine UV-Lampe verwenden, so statten sie diese mit einem eigenen Bypass aus. Zudem müssen die Leitungen im Winter leer laufen können. Und bauen Sie die Technikkammer bitte so, dass sie bei einem Wasserrohrbruch nicht gleich voll Wasser steht.

Teichabdichtung

Ob Sie nun Ton, Folie, Glasfaser, Beton oder andere Materialien verwenden, Sie werden bei diesem Arbeitsschritt Ihren Teich zum ersten Mal plastisch vor sich liegen sehen. Er ist nicht mehr nur das Loch in der Erde, das sie in den letzten Tagen ausgehoben haben.

Ton

Absolut dichte Teichhüllen ergeben sich, wenn man vorgefertigte Tonmatten nach einem speziellen Verfahren zusammenfügt. Bei dem Jahrzehnte alten Verfahren wird wie folgt vorgegangen. Zunächst muss eine Teichgrube ausgehoben und der Untergrund vorbereiten werden. Dann erfolgt das Verlegen und anschließende Verkneten der Tonmatten. Nachdem ein Geotextil ausgebracht und eine Auflastschicht eingebracht wurde, kann das Wasser eingefüllt werden.

Die Tonmatten bestehen aus einem Rohton, der sowohl Homogenität als auch Dichtigkeit bietet. Außerdem kann man mit ihm gut an vorhandene Bauwerke, wie beispielsweise Fundamentstützen, anschließen.

Ihr Grundstück muss allerdings vergleichsweise groß sein, da der Böschungswinkel bei Tondichtungen ein maximales Steigungsverhältnis von 1:3 - zirka 18 Grad - nicht überschreiten darf.

Ein Lieferant mit einschlägiger Erfahrung in der Tonabdichtung ist die Firma DIA Diekmann in Lehrte/Arpke.

Folie

Am meisten verbreitet sind im Moment Folien. Hier allerdings gibt es einen fortwährenden Streit zwischen PVC-Folie-Gegnern und -Befürwortern. In den letzten Jahren ist die Teichdichtung aus FPO auf dem Vormarsch.

Auch die EPDM-Folie ist inzwischen weit verbreitet. Diese Naturkautschukfolie ist um einiges leichter als die PVC-Folie. Sie lässt sich auch bequemer im Teich hin- und herbewegen, ist aber nicht so dick wie die PVC-Folie.

Je mehr Helfer Sie beim Auslegen der Folie

FPO-Folien werden als Teichabdichtung immer beliebter. Unter der Folie sollte als Schutz ein Vlies (oben, Mitte) aufgebracht werden.

Auf das weiße Vlies wird die EPDM-Folie ausgerollt.

haben, desto besser wird diese Aktion gelingen. Unter der Folie muss Ihr Gelände absolut frei von spitzen Steinen und Wurzeln sein. Kontrollieren Sie ganz genau und bringen Sie dann ein dickes Vlies als zusätzlichen Schutz auf. Das Vlies muss die nächste Bahn um mindestens zehn, besser 20 Zentimeter überlappen. Damit das Vlies nicht verrutscht, wenn Sie die Folie später aufbringen, sollten Sie die einzelnen Lagen mit einem preiswerten Silikon verkleben. Lassen Sie das Silikon ein paar Stunden aushärten. Achten Sie darauf, dass auch das Vlies frei von spitzen Gegenständen ist.

Jetzt kann die Folie eingebracht werden. Zur Sicherheit machen Sie davor wieder ein paar Fotos. Dann finden Sie bei Problemen leichter den Bodenablauf und die Einströmer, die später mit der Folie verklebt und verflanscht werden.

Sollten Sie nicht erkennen können, nach welchem System die Folie bei der Lieferfirma zusammengefaltet wurde, ist es ratsam, sie zunächst auf einer ebenen, sauberen Fläche auseinander zu klappen. Ein Hin- und Herklappen der Folie innerhalb des Teichs ist um ein Vielfaches schweißtreibender. Auch können Sie so Mängel an der Folie, wie Löcher oder schlechte Schweißnähte, leichter erkennen und diese dann vor dem Folieneinbau beim Lieferanten reklamieren.

Klappen Sie Ihre Teichfolie danach so zusammen, dass Sie eine Rolle von rund 2,5 Meter Breite daraus machen können. Beim

Aufrollen der Folie auf einen dicken, runden Karton oder auf ein Rohr sollte die Folie so aufgerollt werden, dass, nachdem die Hälfte der Folie abgerollt ist, auch die Teichmitte erreicht ist. Wenn Sie dann die Teichmitte vom Rand über die Schrägen bis zum Grund messen, brauchen Sie nur die Folienmitte auf den errechneten Mittelpunkt zu legen und die Rolle vollständig im Teich auszurollen. Ist die Folie ausgerollt, kann sie ausgeklappt und auf die Gesamtfläche des Teichs gezogen werden. Wenn Sie die Folie als Maßverlegung beim Hersteller bestellen, werden die einzelnen Folienteile vor Ort in Ihrem Teich verschweißt. Dadurch ist die Teichfolie nahezu faltenlos verlegbar. Diese Verlegetechnik erfordert allerdings Fachkenntnis.

Glasfaser

Glasfaserdichtungen (GfK) werden von Fachfirmen vor Ort im Teich modelliert. Sie sind die dauerhafteste Variante. Der Vorteil von Glasfaser ist, dass sie hart und dennoch flexibel wie eine moderne Autostoßstange ist. Nachteilig sind die bedeutend höheren Kosten dieser Variante.

Andere Materialien

Mörtel- und Betondichtungen haben heute im direkten Abdichtungsbereich von Schwimmteichen keinen hohen Marktanteil mehr.

Natursteine und Hölzer

Die Folie ist möglichst faltenlos verlegt. Jetzt beginnt die praktische Gestaltung Ihres Teichparadieses. Die Fehler, die Ihnen hierbei unterlaufen, lassen sich später wieder ändern. Das ist zwar manchmal mit erheblichem zeitlichem und finanziellem Aufwand verbunden, aber immerhin. Um dies so weit wie möglich zu vermeiden, sollten Sie von

Leicht wirkt der über dem Wasser schwebende Steg aus Zedernholz.

Über graue Granitstufen gelangt man vom Teichrand zum Schwimmbereich.

Anfang an nur Materialien wählen, die teichverträglich sind.

Natursteine sollten so verwendet werden, dass weder Menschen, Tiere noch die Folie verletzt werden können. Schützen Sie Ihre Teichfolie daher unbedingt mit mehreren Lagen Vlies. Rundliche Steine sind oft besser geeignet als kantige, zudem findet man in natürlichen Gewässern auch eher rund geschliffene Steine.

Größere Steine am Übergang von der Schwimm- zur Pflanzenzone sollten am besten sicher verankert werden, damit sie nicht in den Teich fallen können. Egal, ob Sie sich für Beton oder einen speziellen Natursteinkleber entscheiden, achten Sie darauf, einen möglichst kalkfreien Kleber zu verwenden. Sie könnten sonst das biologische Gleichgewicht zu stark beeinflussen. Die verwendeten Betonmengen sollten dabei nicht zu groß sein. Auf der Folie liegt an dieser Stelle ein dickes Vlies als Schutzschicht.

Stege, Brücken und Inseln sind so zu verankern, dass sie nicht verrutschen oder umfallen können. In die Teichdichtung sollte weder gebohrt, noch geschraubt werden. Während Ihrer Teichplanung haben Sie bereits Bereiche mit hoher Auflast bestimmt. Und unter der Folie dieser Bereiche eine entsprechend dicke Betonschicht als Fundament gegossen. Die darauf liegenden Bauwerke sollten größtenteils schwimmend verlegt werden. Ist das nicht möglich, muss der Foliedurchbruch entsprechend abgedichtet werden. Überlassen Sie diese Arbeiten besser einer Fachfirma, die auch die Gewährleistung dafür übernimmt. Bitte berücksichtigen Sie, dass kesseldruckimprägnierte Hölzer und Natursteine, die sich auflösen oder Metalle ausscheiden, am Teich nichts verloren haben.

Substrat

Neben der Strömung im Teich ist das verwendete Substrat einer der entscheidenden Parameter. Es sollte nicht zu grobkörnig sein, um der Mikrobiologie eine gute Grundlage zu bieten und nicht zu feinkörnig, damit es im Laufe der Zeit nicht verschlämmt. Beide Anforderungen gleichzeitig erfüllen zu wollen, scheint auf den ersten Blick nicht machbar. Den modernen Substratmischungen aber gelingt es doch.

Die Substratzusammensetzung variiert je nach Systemwahl und Nutzung des Schwimmteichs. Immer enthalten ist Sand oder Kies in verschiedenen Durchmessern.

▷ Tipp

Hüten Sie sich davor, den Teichaushub als Pflanzsubstrat für Ihre Teichpflanzen zu verwenden. Sie werden ihn sonst später von Hand wieder ausgraben müssen - Eimer für Eimer!

Meist werden Stoffe wie Lava, Zeolith, Bims, Vermiculit und Ton hinzugesetzt. Am besten Sie lassen sich von einer Fachfirma beraten, welche Inhaltsstoffe für Ihren speziellen Teich geeignet sind. Am Markt gibt es sowohl Fertigmischungen als auch Substrate zum selbst Mischen, die dann lagenmäßig eingebaut werden.

Wichtig ist auch die Schichtung der einzelnen Substratbestandteile. Sie muss an die geplante Strömung im Teich angepasst werden. Je nach der Bauweise des Teichs werden Substrate von unten, oben oder parallel zum Teichgrund der Regenerationszone durchströmt.

▷ Tipp

Sie sollten für eine dauerhafte und gleichmäßige Durchströmung des Substrats in der Regenerationszone sorgen. Die Kunst besteht darin, das Wasser langsam genug durch das Substrat fließen zu lassen, dass die Pflanzen ausreichend Nährstoffe aufnehmen können. Fließt es jedoch zu langsam, besteht die Gefahr, dass sich übermäßig viele Algen bilden.

Sind die Kinder aus dem Haus, sind Rasenflächen häufig nutzlos. Gestaltet man daraus einen Wassergarten, macht dieses den Garten attraktiver.

Wenn die Strömung aufgrund einer zu gering gewählten Korngröße bereits nach wenigen Zentimetern im Substrat nachlässt, ist seine Wirkung stark eingeschränkt.

Am Markt haben sich Verrohrungen durchgesetzt, die mithilfe mehrerer Einströmdüsen das Substrat in der Filter- oder Regenerationszone zwangsweise durchströmen.

Pflanzen

Nicht alle Pflanzen, die schön sind, besitzen auch die nötige Reinigungs- und Funktionsleistung. Hier kommt es auf die richtige Kombination an. Trotzdem können Sie wunderbare Pflanzenbilder entwickeln, die zu einem besonderen Blickfang in den Jahreszeiten werden. Ganz anders als das beim Swimmingpool möglich wäre.

Nach dem Sie sich in Pflanzenbüchern informiert haben, wird ein Pflanzplan erstellt. Dann kann mit der Bestellung der verschiedenen Sorten begonnen werden.

Aber Vorsicht: Das in Ihren Teich eingelassene Füllwasser aus dem Wasserhahn sollte mindestens 48 Stunden ruhen, bevor es mit den Pflanzen in Kontakt kommt. In dieser Zeit haben das Pflanzen schädigende Chlor und das Phosphat, Gelegenheit abzuziehen.

Halten Sie das nötige Verhältnis von Unterwasserpflanzen zu Teichrandpflanzen ein und achten Sie auch auf die richtige Pflanztiefe im Wasser. In Teichbereichen mit stärkerer Strömung gehören strömungsresistente Pflanzen.

Mit Ihrer Pflanzenauswahl sollten Sie in der Pflanzenzone für ausreichend Schatten

Die Seekanne und der Tannenwedel, Teichpflanzen sowohl für Schönheit wie zur Wasserreinigung

sorgen. Niedrige Wassertemperaturen in der Regenerationszone garantieren ein besseres Pflanzenwachstum im Teich und das wiederum führt zu mehr Beschattung.

Pflanzen Sie nicht zu dicht. Fünf bis sieben Pflanzen je Quadratmeter reichen vollkommen aus, wenn die Pflanzen aus einem Topf mit rund zehn Zentimeter Durchmesser stammen. Dies sieht am Anfang zwar etwas mager aus, in zwei bis drei Jahren aber ist der Boden der Regenerationszone fast vollständig bedeckt. Sollten die Pflanzen im ersten Jahr nicht wachsen, so ist dies durchaus normal, da sie sich erst einmal an ihre neue Umgebung gewöhnen müssen. Sollte aber auch im zweiten Jahr kein ausreichendes Pflanzenwachstum erkennbar sein, liegt es wahrscheinlich daran, dass der Nährstoffkreislauf in Ihrem Teich nicht ausreichend funktioniert. Die Pflanzennährstoffe werden zwar durch das Substrat gepuffert und gebunden, sie stehen den Pflanzen aber nicht zur Verfügung. Das heißt, Sie haben zwar keine Algen im Teich, aber Ihre Teichpflanzen wachsen nur kümmerlich.

Inbetriebnahme

Ihr Teich ist fertig. Das erste Fest am Teich hat bereits stattgefunden. Aber ab wann ist Ihr Teich eigentlich beschwimmbar? In Abhängigkeit von der Bauweise und der verwendeten Technik kann in manchen Teichen sofort gebadet werden und in anderen muss man damit ein paar Wochen warten.

Die Abnahme

Vor dem ersten Bad, das Sie sicherlich kaum mehr erwarten können, sollten Sie noch eine letzte Formalität erledigen, die formelle Abnahme. Falls Sie Ihren Teich nach einem Plan und unter der Bauleitung eines Fachmanns selbst gebaut haben, bitten Sie diesen nun um ein Abschlussgespräch. In diesem Gespräch sollten die folgenden Punkte abgehandelt und schriftlich festgehalten werden:

- Stimmt der erstellte Schwimmteich mit dem geplanten Schwimmteich hundertprozentig überein? Wo sind Abweichungen?
- Entspricht die eingebaute Technik den jeweiligen DIN- oder FLL-Normen?
- Werden alle Sicherheitsvorschriften beachtet?
- Wurde der Schwimmteichbau dokumentiert, vor allem in Bezug auf die unterirdisch verlegten Leitungen?

- In welchem Zustand sind die Pflanzen im Teich?

Wenn Sie und der Planer dieses Protokoll unterschreiben, kann es mit dem Badevergnügen losgehen.

Falls Sie Ihren Teich durch eine Fachfirma bauen ließen, sprechen Sie dieselben Punkte wie oben an und ergänzen Sie diese noch um die nachstehenden:

- Nach welchem System wurde Ihr Teich gebaut?
- Lassen Sie sich den Namen des Baustellenleiters und des Bauleiters geben.
- Stimmt die eingebaute Technik hundertprozentig mit dem Technikplan überein?
- Gibt es Bodenverdichtungen durch die eingesetzten Baumaschinen?

Ein Teich will gepflegt sein

Jetzt wird es Zeit, die Vegetationszone auszusaugen.

Je nach Anspruch ist der Pflegeaufwand für Ihren Schwimmteich entweder sehr gering oder fast so hoch wie in einem Schwimmbad. Sie können sich von der Technik unterstützen lassen oder viel per Hand machen.

Jahrespflege

Zweimal im Jahr besteht erhöhter Pflegebedarf. Denn im Frühjahr muss Ihr Teich in Betrieb genommen werden und im Herbst, nach Ende der Badesaison, versetzen Sie ihn wieder in die Winterruhe.

Bei dieser Gelegenheit wird auch die Bepflanzung auf Vollständigkeit überprüft. Wenn nötig muss sie ergänzt und zurück geschnitten werden. Hierbei darf das Schnittgut nicht im Teich verbleiben, um keine weiteren Nährstoffe zu zuführen.

Bei der Frühjahrspflege kommt auch der Teichsauger zum Einsatz.

Zusätzlich sollten die Vegetationszone und die Schwimmzone mit einem Teichsauger gereinigt werden. Verfügt der Teichsauger nicht über die notwendigen Zwischensiebe oder Zwischenfilter, muss das Wasser nach Verlassen des Sauggeräts unbedingt aus dem Teich geleitet werden. Sie können damit Ihre Gartenpflanzen wässern, die die darin enthaltenen Nährstoffe als Dünger zu schätzen wissen.

> ▷ **TIPP**
>
> Bitte achten Sie darauf, keine Teichtiere mit dem Sauger aufzunehmen. Diese könnten dabei zu Schaden kommen.

Die Leitungen in der Pumpenkammer werden laufend überprüft

Dauerhafte Pflege

Während der Badesaison wird die Vegetationszone nicht gesaugt. Dies würde nur das biologische Gleichgewicht unnötig stören. Außerdem besteht die Gefahr, dass Sie Kaulquappen, Molche und andere kleine Tiere aufsaugen. Das gilt auch für Sauger mit Schutzkappen vorne am Saugschlauch.

Einige Systemanbieter haben inzwischen automatische Saugroboter vorwiegend für geometrische Schwimmbereiche in ihrem Programm. Testen Sie die aus dem Schwimmbadbereich bekannten Geräte, es gibt einige gute am Markt.

Wenn Ihr Teich eingelaufen ist, können die Teichpumpen so eingestellt werden, dass eine Pumpe läuft, während die andere ausgeschaltet ist. Sie könnten beispielsweise im Zweistundenrhythmus abwechselnd arbeiten. Dies erspart Ihnen bis zu 50 Prozent Strom.

> **▷ TIPP**
>
> Ihre Teichtechnik sollte energieeffizient geplant werden. Sprechen Sie hierüber mit Ihrem Planer.

Pflege im Winter

Um zu vermeiden, dass das Eis Ihre Platten am Teichrand oder Ihren Steg hoch drückt, sollten Sie das Teichwasser im Herbst um mindestens 10 und höchstens 25 Zentimeter absenken. Falls Sie es einmal vergessen haben, versuchen Sie nicht das Wasser unter dem Eis abzupumpen. Die Eisdecke würde unkontrolliert in großen Eisschollen abbrechen und am Teichrand entlang rutschen.

Für den Schwimmteich mit Wasserfall ist Winterruhe eingekehrt.

Wenn Sie Pech haben, schneiden die scharfkantigen Schollen ihre Teichfolie auf und brechen die Einströmdüsen und den Skimmer ab. Der Schaden würde nur noch größer ausfallen.

Im Winter können die unter der geschlossenen Eisdecke anfallenden Teichgase nicht ohne weiteres entweichen. Sie sollten daher unbedingt ein Loch in Ihrem Teich eisfrei halten. Das erreichen Sie am einfachsten, in dem Sie Schilf oder Rohrkolben pflanzen. Ebenfalls gebräuchlich sind Eisfreihalter, die mithilfe einer einfachen Elektrik, meist kombiniert mit etwas Luft, ein kleines Loch im Teich offen halten.

Wenn Sie auf Ihrem Teich Eislaufen wollen, sollten Sie darauf achten, dass das Eis und die Teichumrandung gleich hoch sind. Die Teichfolie darf in keinem Fall frei liegen, sie könnte sonst von den scharfen Schlittschuhkanten beschädigt werden. Sollte der Eisspiegel nicht hoch genug sein, können Sie, wenn sich Frost angekündigt hat, die Eisfläche jeweils um rund einen Zentimeter erhöhen, in dem Sie die entsprechende Menge Wasser darauf laufen lassen. Das machen Sie so viele Abende, bis Sie auf Gleichstand mit der

Teichumrandung sind. Bevor sich der Winter im Februar langsam verabschiedet, bietet es sich an, die Eisfläche für den Rückschnitt der Pflanzen im Teich zu nutzten. Das hat den Vorteil, dass Sie im Frühjahr nicht ins kalte Wasser zu steigen brauchen. Sie schneiden die Halme am besten rund 10 Zentimeter über der Eisdecke ab, so bleibt der Gasaustausch erhalten.

Pflegekalender

Natürlich gibt es immer etwas zu tun. Aber keine Angst, mit etwas Technikausstattung ist die Pflege ihres Schwimmteichs leicht zu schaffen.

Januar:

Wenn Ihr Teich zum Schlittschuhlaufen benutzt wird, dann schützen Sie Ihre Teichpflanzen durch eine deutlich sichtbare Abgrenzung vor Beschädigungen. Achten Sie darauf, dass der von Ihnen im Herbst abgesenkte Wasserspiegel durch Niederschläge nicht zu hoch ansteigt.

Februar:

Durch das Abschmelzen des Eises entsteht kurzfristig ein vergleichsweise tiefer Wasserstand. Nutzen Sie diesen für eine intensive Sichtkontrolle.

März:

Die ersten warmen Tage stehen bevor. Verwenden Sie, falls erforderlich, biologische Zusatzprodukte für das ökologische Gleichgewicht. Und schneiden Sie Ihre Teichpflanzen zurück, bevor sie wieder austreiben. Falls Sie eine Zusatzheizung installiert haben, erwartet Sie das erste Bad.

April:

Die Frühjahrsreinigung wird nötig. Bitte beachten Sie die Reinigungsvorschriften der jeweiligen Systeme. Falls Sie über den Winter Teile der Teichtechnik frostfrei eingelagert haben, wird es jetzt Zeit diese wieder einzubauen.

Mai:

Bei Teichen, die das ökologische Gleichgewicht noch nicht erreicht haben, erwartet Sie die erste starke Algenblüte. Hier herrschen vor allem die Fadenalgen vor. Fischen Sie die Algen und die herumschwimmenden Pflanzenteile mechanisch ab. Falls Sie Fische im Teich haben, können Sie diese langsam wieder anfüttern.

Einsatz von Teichsauger und von Teichpflegemitteln wird hier notwendig

Juni:

Vor der Hauptbadesaison sollten alle Umbauarbeiten am Teich abgeschlossen sein. Schneiden Sie wuchernde Pflanzen zurück oder entfernen Sie diese, wenn andere Teichpflanzen Gefahr laufen, unterdrückt zu werden.

Juli und August:

Das ist die Zeit der ungetrübten Badefreuden. Führen Sie nur die Pflegearbeiten durch, die Ihr Teichsystem verlangt. Verwenden Sie Ihren Teichsauger im Schwimmbereich nicht zu häufig und in der Regenrationszone am besten gar nicht.

September:

Die Algen blühen erneut sehr stark, Sie aber bleiben gelassen. So lange das Wasser noch warm ist, schneiden Sie die überhand nehmenden Teichpflanzen vom Wasser aus zurück. Und stutzen Sie bei der Gelegenheit auch gleich die Unterwasserpflanzen.

Oktober:

Bei Teichen mit Heizung genießen Sie die letzten Bäder. Bei allen anderen beginnt die Vorbereitung der Technik auf den Winter. Die Pumpenleistung kann nochmals reduziert werden. Die Teichfische bekommen immer weniger Futter, bis die Fütterung bei unter 10 Grad Celsius Wassertemperatur völlig eingestellt wird.

November:

Ein letztes Mal für dieses Jahr schneiden Sie

alle Teichpflanzen zurück. Der Teich und seine Technik gehen in die Winterruhe. Spannen Sie ein großes Laubschutznetz über Ihrem Teich und leeren Sie es nach Bedarf.

Dezember:
Kontrollieren Sie, ob der Teichrand über das Jahr stabil geblieben ist. Senken Sie das Teichwasser um 10 bis 25 Zentimeter ab, um die Gefahr von Eisdruck zu reduzieren.

Wartungsarbeiten

Der Winter ist die beste Zeit, um die Teichtechnik zu warten. Befolgen Sie bei den Pumpen die jeweiligen Wartungshinweise der Lieferfirmen. Damit die Pumpe im Frühjahr wieder gut anspringt, ist es wichtig sie so aufzustellen, dass die Pumpenwelle nicht fest rostet. Bei Pumpen mit externer Steuereinheit müssen Sie darauf achten, dass kein Wasser in die elektrischen Bauteile eindringt. Lesen Sie aufmerksam Ihr Teichtagebuch und stellen Sie fest wann und warum es zu Problemen kam. Bei größeren Problemen, wie starker Algenbefall oder unerklärlicher Wasserverlust, kontaktieren Sie am besten Ihren Teichplaner. Zu dieser Jahreszeit haben die meisten Betriebe Zeit, sich um die Probleme

Wartung der Pumpe

Die regelmäßige Wartung erhöht die Lebensdauer der Teichpumpe.

ihrer Kunden zu kümmern. In der Hauptsaison zwischen März und September sind sie auf den Schwimmteich-Baustellen.
Der ausgehende Winter ist eine gute Zeit, um Probleme zu beheben. Vielleicht müssen Sie lediglich die Strömung verändern, ein anderes Substrat verwenden oder eine stärkere Pumpe einsetzen. Und Sie haben in der kommenden Teichsaison wieder mehr Freude an Ihrem Teich.
Das Ende des Winters bietet sich auch für eine gründliche Teichbegehung an, am besten zusammen mit Ihrem Planer. Dabei sollten die Teichränder auf ihre Stabilität kontrolliert und die Festigkeit der Einfassungsplatten bestätigt werden. Bitte begutachten Sie bei der

Gelegenheit auch den Entwicklungsstand der Pflanzen. Fixieren Sie Ihre Beobachtungen schriftlich und vergleichen Sie die Ergebnisse mit denen der Vorjahre. Sie werden erstaunt sein, wie sich alles verändert hat. Auch kann man die Entwicklung des Teichs sehr anschaulich anhand von angefertigten Bilder festhalten.

Was tun bei Problemen?

Wie bei anderen technischen Bauwerken auch, so kommt es bei einem Schwimmteich manchmal zu Störungen. Am Anfang sind dies meist kleinere Probleme mit der Pumpe, dem Skimmer oder der Wasserstandshöhe. Später sind es die Algen im Teich oder das Pflanzenwachstum in der Vegetationszone, die Ihre Besorgnis erregen. Seien Sie gelassen, die Natur reagiert oft anders, als man denkt.

Teichwasser, das abends noch glasklar war, kann am Mittag des nächsten Tages schon deutlich eingetrübt sein. Oft liegt dies nur an der Witterung und am Luftdruck. Mit den Wochen und Monaten werden Sie lernen, damit um zu gehen.

In der ersten Schwimmteichsaison empfiehlt es sich, monatlich eine Wasserprobe bei einem Fachmann für Schwimmteiche auswer-

Mit gewisser Teicherfahrung lassen sich Veränderungen auch anhand des Wassersgeruchs erkennen.

ten zu lassen. Dass die Werte sich bei jeder Probe verändern, ist vollkommen normal. Daraus kann der Fachmann die momentane und auch zukünftige Wasserqualität ableiten. Algen sind natürlich und eine wichtige Zeigergröße in Ihrem Teich. Anhand ihres Umfangs und der Algenarten kann man Rückschlüsse auf die Teichbiologie ziehen. Ein gewisser Anteil an Algen gehört zum Teich. Sie müssen sich mit Ihnen arrangieren.

Der Wasserstand in Ihrem Teich kann im Sommer an heißen, windigen Tagen bis zu zwei Zentimetern pro Tag fallen. Stellen Sie sich vor, Sie wären zwei Wochen lang im Urlaub und müssten nach Ihrer Rückkehr feststellen, dass der Wasserstand in Ihrem Teich um fast 30 Zentimeter gesunken ist. Solche extremen Wasserstandsschwankungen vertragen viele Teiche nicht: Die Wasserpflanzen fallen trocken, das Substrat in der Regenerationszone trocknet aus und die Biologie stirbt langsam ab.

Sie können dies verhindern, in dem Sie entweder eine automatische Nachfüllanlage installieren oder jemanden beauftragen, in Ihrer Abwesenheit den Wasserstand des Schwimmteichs auf einem stabilen Niveau zu halten. Möglicher Weise wurde Ihr Teich aber auch so geplant, dass er diesen Extremfall durchsteht. Das geht nicht bei allen Technikvarianten und am besten bei der Zweikammerbauweise. Hier lässt sich, durch eine entsprechende Technik, der Wasserstand im Schwimmbereich stabil halten, während er in der Regenerationszone stärker schwankt. Wenn Sie dann noch Wasserpflanzen verwenden, die solche Extreme tolerieren, sind Sie auf der sicheren Seite.

> **▷ TIPP**
>
> Auch bei bedecktem Wetter im Sommer kann der Wasserstand des Schwimmteichs um rund einen Zentimeter pro Tag fallen. Mancher Teichbesitzer hat schon verzweifelt das Loch in der Folie seines Schwimmteiches gesucht.

Loch im Teich

Ja, ein Loch im Teich kommt vor. Aber lange nicht so häufig, wie man bei einer Kunststofffolienabdichtung annehmen würde. Meist sind diese Probleme hausgemacht und kein Materialfehler der Folie. Scharfkantige Steine, Wurzeln einiger Wasserpflanzen, Werkzeuge, Kinderschaufeln und Hundekrallen sind häufig die Ursache für Folienverletzungen. Durch eine sorgfältige Planung lassen sich diese vermeiden.

Verfallen Sie nicht gleich in Panik, wenn Ihr Teich andauernd Wasser verliert. Stellen Sie zuerst fest, um wie viele Zentimeter Ihr Teich pro Tag fällt. Machen Sie mit einem wasserfesten, weißen Filsstift genau einen Zentimeter über dem momentanen Wasserstand eine Markierung. Wiederholen Sie die Messung an den folgenden fünf bis sieben Tagen möglichst zur selben Uhrzeit. Erst dann sollten Sie mithilfe des Messprotokolls entsprechende Schlüsse ziehen.

Wenn Ihr Teich an allen Tagen gleich viel Wasser verliert, egal ob es bedeckt oder sonnig ist, und dieser Wert mehr als die übliche Verdunstung von 1,5 Zentimetern beträgt, dann haben Sie ein Loch in der Folie. Ausgenommen, es ist so heiß und trocken wie im Jahrhundertsommer 2003. Als Nächstes lassen Sie das Wasser so lange sinken, bis sich der Wasserstand stabilisiert. Sollten Sie Fische in Ihrem Teich halten, so müssen Sie diese wahrscheinlich kurzfristig in ein mobiles Becken umsiedeln.

Die Pflanzenzone kann bei mäßiger Hitze ein bis zwei Tage trocken fallen, ohne Schaden zu nehmen. Benetzen Sie die Pflanzen vorsichtig per Wasserschlauch. Es darf aber kein Wasser aus der Pflanzenzone in den Teich laufen, weil das den Wasserspiegel wieder erhöhen würde.

In der Regel stoppt das Fallen des Wasserspiegels nach wenigen Tagen, da mechanische Beschädigungen überwiegend im Bereich des Teichrands liegen.

Da Sie zu Beginn der Suche alle Absperr- und Kugelhähne in Ihrer Verrohrung geschlossen haben, können Sie nun auch diese auf ihre Dichtigkeit testen. Notieren Sie die Höhe, auf der sich der Wasserspiegel eingependelt hat, und lassen Sie dann die komplette Technik 24 Stunden lang laufen. Wenn sich der Wasserspiegel nicht stark verändert, ist auch die Verrohrung dicht und das Problem des Wasserverlustes fast gefunden. Jetzt beginnt die Detektivarbeit, bei der Sie jeden Millimeter Folie in Wasserhöhe kontrollieren müssen. Mit entsprechenden Reparaturkits lässt sich das Loch in der Folie reparieren.

Oder sie nehmen gleich einen Leckagesuchdienst in Anspruch, den einige Firmen inzwischen anbieten.

Wohlfühlen im eigenen Garten: ein Schwimmteich muss nicht groß sein, um Erholung für die ganze Familie zu bieten.

Begriffserklärung

Im Nachfolgenden sollen die wichtigsten Begriffe kurz erklärt werden, die im Zusammenhang mit einem Schwimmteich häufig verwendet werden.

Absperr- oder Kugelhahn

Für eine optimale Sicherheit werden in die Verrohrung verschiedene Absperr-, Kugel- oder Zughähne und Rückschlagklappen eingebaut. Auf diese Weise kann ein Wasserkreislauf leicht still gelegt oder die Durchflussmenge variiert werden.

Biologisches Gleichgewicht

Wenn alle biologischen und ökologischen Faktoren im Gleichgewicht sind, ist das der Natur abgeschaute System Schwimmteich stabil. Kommt einer der Faktoren aus dem Gleichgewicht, zum Beispiel der pH-Wert, wird das gesamte System instabil. Im schlimmsten Fall kippt der Teich.

Bodenablauf

Ähnlich wie in einer Badewanne wird an der tiefsten Stelle des Schwimmbereichs ein Ablauf installiert. Dort sammelt sich ein Teil des Schmutzes aus dem Teichwasser. Mit einer Pumpe wird das Wasser entweder stets oder nur zeitweise vom Ablauf in die Filterkammer gepumpt. Damit lässt sich die Schlammbildung am Teichgrund verhindern und die Teichpflege erheblich erleichtern.

DIN

Zurzeit gibt es für den privaten Schwimmteich-Bereich kein separates Regelwerk mit Deutschen Industrienormen (DIN). Aber es existieren diverse DIN-Richtlinien der beteiligten Fachgebiete, wie zum Beispiel für die Folie, die Verrohrung und den Erdbau.

Einströmdüsen

Das Wasser aus der Technikkammer wird in den Teich zurückgeführt. Dies erfolgt teilweise über die Regenerationszone und teilweise direkt in die Schwimmzone. Die in die Schwimmzone führenden Rohre teilen sich in mehrere dünnere Rohre auf, die direkt am Einfluss in den Teich mit einem Winkelstück versehen werden. Dadurch entsteht in der Schwimmzone eine Strömung.

Über Einströmdüsen mit Absperrhähnen lässt sich die einströmende Wassermenge gut regeln.

Filter- oder Technikkammer

Die Filter- oder Technikkammer ist das Herz des Teichs. Hier wird das Wasser in Bewegung gesetzt und verteilt. Sie ist in den Boden eingelassen und enthält die Technik. Ein zirka 1,5 Meter tiefes Loch, das in einem Mindestmaß von 1,5 x 1,0 m ausgemauert wird, ist ausreichend. Als Abdeckung können herausnehmbare Holzdielen dienen. Für einige Schwimmteichtypen gibt es bereits vorgefertigte Filterschächte zu kaufen.

FLL

In Zusammenarbeit mit Fachleuten hat die Forschungsanstalt für Landschaftsentwicklung und Landschaftsbau e.V. (FLL) Richtlinien für den Bau und den Betrieb von Schwimmteichen erarbeitet. Die Richtlinie für den öffentlichen Bau gilt bereits, die für den Privatbereich wird voraussichtlich Ende 2005 erscheinen.

Heizung

Seit einigen Jahren gibt es die Möglichkeit, über einen Wärmetauscher das Teichwasser zu erwärmen. Ebenfalls möglich ist die Wassererwärmung durch Solarenergie oder die Heizung des Wohnhauses. Das erwärmte Wasser sollte an mehreren Stellen des Teichs gleichmäßig eingeleitet werden.

Kapillarsperre

Um zu verhindern, dass die den Schwimmteich umgebende Erde Teichwasser aufnimmt, ist eine bauliche Trennung notwendig. Die natürliche Kapillarwirkung kann beispielsweise durch Fertigbauteile oder ein Betonwulst außer Kraft gesetzt werden.

Kippen des Teichs

Das biologische Gleichgewicht des Teichs bricht zusammen. Die meisten Lebewesen sterben ab. Dennoch ist es nicht ausgeschlossen, dass sich der Teich nach diesem Schock wieder erholt.

Notüberlauf

Wenn sich durch ergiebige Regenfälle zu viel Wasser im Schwimmteich befindet, besteht die Gefahr, dass der Teich unkontrolliert überläuft. Damit dies nicht geschieht, gibt es einen Notüberlauf. Er wird entweder an die Dachrinne des Hauses angeschlossen, in eine Sickergrube geleitet oder dient der kontrollierten Pflanzenbewässerung.

Hier ist der Notüberlauf unter dem Holzdeck versteckt.

Öffentlicher Schwimmteich

Die Nutzung von öffentlichen Schwimmteichen erfolgt im Rahmen von Schwimmbädern, Hotels oder Mehrfamilienhäusern. Hier gelten die entsprechende Richtlinie der FLL sowie verschiedene DIN-Richtlinien, vor allem im Bereich Sicherheit.

Privater Schwimmteich
Ein Schwimmteich, der in einem Privathaushalt gebaut und von diesem genutzt wird. Hier gelten andere Richtlinien als bei einem öffentlichen Schwimmteich.

Pumpen
Eine oder mehrere einzeln regelbare Pumpen werden in die Technikkammer des Schwimmteichs eingebaut. Je nach Jahreszeit und Nutzungsart können beispielsweise selbstansaugende Pumpen oder Kreiselpumpen verwendet werden.

Regenerationspflanze
Um das mit Schmutz- und Nährstoffen durchsetzte Wasser zu reinigen, braucht man Mikroorganismen und Pflanzen, die über ihre Wurzeln Nährstoffe aus dem Wasser aufnehmen und an sich binden.

Sand- oder Feinfilter
Durch einen zusätzlichen Filter in der Verrohrung lassen sich Feinteile aus dem Wasser herausfiltern.

Schwimmteich oder Badeteich
Ein Teich, dessen Reinigung ausschließlich durch natürliche Faktoren, wie Substrate und Pflanzen, erfolgt. Der Einsatz von Chemie ist nicht vorgesehen.

Schwimmzone
In dieser Zone wird ausschließlich geschwommen oder gebadet. Pflanzen, Kies und Substrate sind dort nicht zu finden.

Skimmer
Durch die natürliche Oberflächenspannung des Wassers sammeln sich viele Staub- und Schmutzteile sowie Laub an der Wasseroberfläche. Der Skimmer zieht die Wasseroberfläche sauber. Die unerwünschten Fremdstoffe werden in einem Vorsieb gesammelt und in die Technikkammer oder die Regenerationszone überführt.

Eine gut eingewachsene Regenerationszone mit verschiedenen Unterwasser- und Schwimmpflanzen ist ein Garant für sauberes Wasser.

Der Skimmer zieht die Wasseroberfläche sauber.

Strömung (Hydraulik)

Um die Nährstoffe aus der Schwimmzone, in einer zuvor errechneten Geschwindigkeit, in die Regenerationszone zu befördern, bedarf es einer bestimmten Strömung im Teich. Diese wird in der Regel mithilfe einer Kunststoffverrohrung und einer oder mehrerer Pumpen erzeugt.

Substrat

Als Wurzelraum für die Regenerationspflanzen bietet sich ein Substrat an, das aus verschiedenen anorganischen Bestandteilen wie Sand, Kies, Lava, Bims und Zeolith aufgebaut ist. Humus und Oberboden sind in keinem Fall als Bestandteile geeignet. Die genaue Zusammensetzung des Substrats ist eins der Geheimnisse im Schwimmteichbau.

Systembau

Verschiedene Bauteile werden nach dem System einer Lieferfirma so zusammengefügt, dass ein funktionierender Schwimmteich entsteht.

Überlaufrinne

Die Überlaufrinne hat eine ähnliche Funktion wie ein Skimmer. Sie ist vergleichbar mit der in einem Schwimmbad außerhalb des Beckenrandes verlegten Rinne.

UV-Lampe

In einer speziellen Röhre wird das Teichwasser an einer in den Teichkreislauf integrierten UV-Lampe vorbeigeführt. Das gebündelte

UV-Lampe mit 75 Watt, in die Verrohrung in der Pumpenkammer integriert

Licht spezieller Wellenlängen tötet die Bakterien und Viren ab. Außerdem zerstört es die Algen, die durch die UV-Röhre geleitet werden. Da sich vor allem in der Regenrationszone eine Vielzahl von Bakterien aufhält, kommt es zu keinem biologischen Ungleichgewicht.

Verrohrung

Um einen kontrollierbaren Wasserfluss zwischen Teich und Regenerationszone zu gewährleisten, wird innerhalb des Teichs eine Verrohrung aus Kunststoffrohren hergestellt. Sie führt das Wasser zur Technikkammer und von dort in die Regenerationszone. Der Rohrdurchmesser und die Fließgeschwindigkeit des Wassers müssen zuvor errechnet und danach im Technikplan festgehalten werden.

Wasserprobe

Bereits in der Planungsphase sollte eine Probe des Füllwassers gezogen werden, um die Qualität des späteren Schwimmteichwassers voraussagen zu können. Während des Schwimmteichbetriebs von April bis September ist es ratsam, jeden Monat mindestens eine Wasserprobe untersuchen zu lassen. Dadurch lassen sich auch kleinste Veränderungen der Biologie schnell erkennen.

Redoxwert

Der Wert der reduzierten und oxydierten Säuren. Damit lässt sich die Wasserklarheit und ein Teil der Wassergüte feststellen.

Vortex

Ein Vorfilter, vorwiegend als externer Filter ausserhalb des Teichs, welcher grobe Schmutzteile herausfiltert.

Makrophyten

Kleinstlebewesen im gesamten Teich, welche sehr entscheidend sind für die Wassergüte. Diese kommen in Ihrem Teich millionenfach vor, es dauert aber oft Jahre, bis eine stabile Population existiert.

UVC

Künstliches Licht, das in einer speziellen UV-Lampe gebildet wird, dieses tötet Bakterien, Viren und Algen ab.

Repositionspflanze

Pflanzen mit besonders guter Fähigkeit das Wasser zu klären. Dies funktioniert am besten in Kombination mit auf die Repositionspflanzen abgestimmtem Pflanzsubstrat

Neuster Trend:

Die Abdichtung von Schwimmteichen mit Kautschuk

Mit einem Schwimmteich schaffen Sie sich ein »Paradies« im eigenen Garten. Dieses Paradiesgefühl soll über viele Jahre bestehen bleiben. Vorraussetzung hierfür ist eine perfekte Abdichtung über Jahrzehnte. Allein schon der Gedanke an eine fehlerhafte Abdichtung könnte einen potentiellen Auftraggeber verunsichern. Ein Schwimmteich muss absolut dicht sein und auch bleiben, abgesichert durch eine Garantie gegen Leckage.

Zur Abdichtung werden Schwimmteichen bisher zu 80% mit Kunststoff-Dichtungsbahnen ausgelegt, ursprünglich entwickelt als Dachbahnen. Dabei handelt es sich häufig um weichmacherhaltige, ökologisch ungünstige Thermoplasten.

Die Weiterentwicklungen verschiedener Produzenten dieser Thermoplasten hat dazu geführt, dass inzwischen weichmacherfreie, ökologisch unbedenklichen Dichtungsbahnen zum Einsatz für Schwimmteiche bestens geeignet sind.

Auch die Kautschuk-Industrie hat Folien für den Hoch- und Tiefbau entwickelt. Diese EPDM-Elastomere sind weichmacherfrei und umweltfreundlich.

In den letzten 5 Jahren wird immer häufiger EPDM in Schwimmteichen eingesetzt, wobei im Teichbau zwischen zwei Arten zu unterscheiden ist:

- Der Natur-Schwimmteich ohne oder nur mit wenig Technik.
  Meist besteht die Schwimmzone aus nur einen Aushub. Als Abdichtung wird eine 2D-Plane aus EPDM 1,2 oder 1,5 mm (aus nur einem Stück gefertigt) verwendet.
  Die Plane hat selbstverständlich Falten an den Innenecken, die aber nach einigen Wochen kaum noch auffallen.

- Der Schwimmteich mit viel Technik (Öko-Pool).
  Für diese Art des Schwimmteiches werden für den Bau meistens Beton, Holz oder Kunststoff oder Edelstahl

Handels- en Adviesbureau van Beek BV

Kontaktadresse
Handels- en Adviesbureau van Beek BV
Vouersweg 95
Postfach 199
NL - 6160 AD Geleen

Tel. +31 (0) 46 47 40 625
Fax +31 (0) 46 47 44 448

info@vbbv.com
www.vbbv.com

Handels- en Advies-bureau van Beek BV

verwendet.

Die Abdichtung erfolgt mit Hilfe von einem 3D-EPDM-Sack/Einleger 1,2 oder 1,5 mm (aus einem Stück gefertigt).

Die Folie wird faltenfrei montiert.

Die EPDM-Planen und -Einleger werden bei der Firma Van Beek BV in Geleen (Niederlande) in einer spezialisierten Werkstatt im »Hot Bonding-Verfahren« vorgefertigt. Dieses Verfahren ist ein Vulkanisationsprozess, welcher vor 25 Jahren für Dachplanen entwickelt und heute als 3D-Schwimmteich-Einleger verfeinert wurde. Planen und Einleger werden bis ca. 1000 m^2 vorgefertigt. Bei größeren Projekten kann das Vulkanisieren der Nähte durch Van Beek vor Ort vorgenommen werden. Vulkanisierte Nähte (sowohl in der Werkstatt als auch vor Ort) bieten die höchste Sicherheitsstufe in punkte Abdichtung.

De Gewährleistung gilt deshalb nicht nur für die Folie sondern auch für die vulkanisierten Nähten. Die Ozon-, UV- und Alterungsbeständigkeit von EPDM-Dachplanen ist wissenschaftlich durch das SKZ (Süddeutsches Kunststoff Zentrum) in Würzburg mit folgender Aussage untersucht worden:

»Die Lebensdauer von ungeschützten EPDM-Planen in

Die immer anfallende kleine Falten kann man mit der geschmeidigen EPDM-Folie in eine Richtung zu einer größere Falte zusammenlegen, die dann verklebt wird.

West-Europa beträgt mindestens 50 Jahre...« Der Einsatz von EPDM-Planen in Schwimmteichsektor bietet also eine optimale Sicherheit.

Handels- en Adviesbureau van Beek BV

Eigenschaften der EPDM-Planen auf einen Blick:

- Größmögliche Sicherheit in punkto Abdichtung,
- Reparaturen von mechanischen Beschädigungen sind einfach durchzuführen,
- optimale mechanische Eigenschaften in einem weiten Temperaturbereich zwischen -30°C und +100°C,
- Abdichtungsmaterial mit der geringsten Umweltbelastung in Herstellung, Nutzung und Entsorgung,
- anwenderfreundlich, da keine giftigen Dämpfe, wie beim Verschweißen von PVC, entstehen,
- weichmacherfrei,
- rutschfest,
- wurzelfest nach 4 Jahren,
- schnelle Baustellenabwicklung durch Vorkonfektionierung,
- 15 Jahre Garantie,
- 37 Jahre Erfahrung in der Praxis.

Schwimmteich mit viel Technik (Öko-Pool): abgedichtet wird mit einem 3D-EPDM-Sack/Einleger

Adressen

Bund deutscher Sachverständiger und Fachgutachter e.V. (BDSF)
Postfach 1227
D - 79547 Weil am Rhein
Tel. + 49 (0) 76 21 / 7 70 07 15
Fax + 49 (0) 76 21 / 7 70 07 16
www.bdsf.de

Bundesarchitektenkammer (BAK)
Askanischer Platz 4
D - 10963 Berlin
Tel. + 49 (0) 30 / 2 63 94 40
Fax + 49 (0) 30 / 26 39 44 90
www.bak.de
info@bak.de

Deutsche Gesellschaft für naturnahe Badegewässer e.V. (DGfnB)
Bei der Ratsmühle 14
D - 21335 Lüneburg
Tel. + 49 (0) 70 00 / 7 00 87 87
Fax + 49 (0) 70 00 / 7 00 87 86
www.kleinbadeteiche.de
info@kleinbadeteiche.de

Forschungsgesellschaft Landschaftsentwicklung Landschaftsbau e.V. (FLL)
Colmantstr. 32
D - 53115 Bonn
Tel. + 49 (0) 2 28 / 69 00 28
Fax + 49 (0) 2 28 / 69 00 29
www.fll.de
info@fll.de

Internationale Gesellschaft für naturnahe Badegewässer (IGB)
(keine Rechtschreibvorschläge). 48
A - 4600 Wels
Tel. + 43 (0) 72 42 / 6 66 92
Fax + 43 (0) 72 42 / 6 66 92
www.igb.cc
int.kleinbadeteiche@gmx.at

Fachmagazin »Der Schwimmteich«
Agrimedia GmbH
Spithal 4
29468 Bergen/Dumme
Tel. + 49 (0) 58 45 / 98 81 18
Fax + 49 (0) 58 45 / 98 81 11
www.schwimmteich-magazin.com

Schweizer Verband für naturnahe Badegewässer und Pflanzenkläranlagen (SVBP)
Im Schossacher 9
CH - 8600 Dübendorf
Tel. + 41 (0) 18 35 78 08
Fax + 41 (0) 1 78 79
www.naturnah-baden.ch
info@schwimmteich-kongress.ch

Verband der österreichischen Schwimmteichbauer (VÖS)
Aichbergstr. 48
A - 4600 Wels
Tel. + 43 (0) 72 42 / 6 66 92
Fax + 43 (0) 72 42 / 66 69 24
www.schwimmteich.co.at
verband.oe.schwimmteichbauer@gmx.at

Sachwortregister